DEUX : LES PROFONDEURS

SOUS LA MER

GORDON KORMAN

DEUX : LES PROFONDEURS

SOUS LA MER

Texte français de Claude Cossette

Pour Spencer et Harrison Newman

Catalogage avant publication de la Bibliothèque nationale du Canada

Korman, Gordon
[Dive. Français]
Sous la mer / Gordon Korman ; texte français de Claude Cossette.
Traduction de: Dive.
Sommaire complet: v. 1. L'épave – v. 2. Les profondeurs – v. 3. Le péril.
ISBN 0-439-96648-5 (v. 1).–ISBN 0-439-96649-3 (v. 2).–
ISBN 0-439-96650-7 (v. 3)
I. Cossette, Claude II. Titre. III. Titre: Dive. Français.
PS8571.O78D4814 2004 jC813'.54 C2003-907279-7

Édition publiée par les Éditions Scholastic,
175 Hillmount Road, Markham (Ontario) L6C 1Z7.

5 4 3 2 1 Imprimé au Canada 04 05 06 07

29 août 1665

C'est la plus petite épée qu'ils ont pu trouver à bord du Griffin*; malgré cela, Samuel Higgins, qui est âgé de treize ans, peut à peine la soulever à deux mains.*

— Mais, qu'est-ce que je suis censé faire avec ça, m'sieu? demande le mousse, inquiet.

York, le barbier et chirurgien du bateau, le regarde d'un air sévère.

— On va se battre, Le Chanceux. C'est certainement pas pour te curer les dents.

— Je vais me battre, moi aussi? s'écrie Samuel, horrifié.

La nouvelle s'est répandue comme une traînée de poudre dans toute la flotte de corsaires anglais : l'invasion de Portebello est imminente. C'est pour ça qu'ils ont traversé le dangereux océan Atlantique et perdu un tiers des marins, victimes du scorbut, de la fièvre et des eaux malveillantes. Des richesses dépassant leurs rêves les plus fous les attendent à la fin de cette journée.

Dans une crique retirée, à soixante-cinq kilomètres au nord de la ville au trésor, les neuf navires corsaires qui restent ont jeté l'ancre. Chacun a un équipage réduit. La majorité des marins anglais se trouvent à bord des vingt-quatre canots qui ont été transportés de Liverpool dans un but bien précis : lancer une attaque furtive sur Portebello.

Les canots, poussés par un fort courant, se dirigent vers le sud en serrant la côte. Chacune des embarcations

SOUS LA MER

étroites fait environ douze mètres de long et est munie d'une petite voile. La force d'attaque compte environ cinq cents hommes et est dirigée par le capitaine du Griffin, *le redoutable corsaire James Blade.*

— Ramez, bande de vauriens! rugit le capitaine. Si on arrive pas à Portebello avant l'aube, c'est au fond de la baie que vous allez finir!

Samuel, qui manie avec difficulté une lourde rame, sait qu'il ne s'agit pas d'une menace en l'air. Au cours de leur terrible voyage, il a vu Blade frapper, fouetter, et même pendre des membres de son équipage. Et le cruel capitaine a assassiné Evans, le voilier, le seul ami de Samuel à bord. Le souvenir de la fin terrible du brave homme fait encore monter en lui une colère refoulée.

Après qu'ils ont franchi les soixante-cinq kilomètres, Samuel a les mains écorchées et sanglantes. Il n'est pas certain de pouvoir tenir son épée, et encore moins de pouvoir s'en servir pour se défendre.

Blade montre du doigt des lumières qui scintillent devant eux, dans la nuit sans lune.

— Les torches du château de Santiago! Assourdissez les avirons! On va les prendre par surprise, ces messieurs aux belles manières!

À peine a-t-il fini de parler que de grands feux de signalisation fusent de toutes parts, illuminant la forteresse en pierre qui se dresse droit devant. Un éclair fend le ciel, et est suivi d'une énorme explosion. Une fraction de seconde plus tard, un boulet grésille au-dessus de leur tête, assez prêt pour que Samuel puisse en sentir la chaleur au passage. Le projectile plonge dans l'eau derrière eux, faisant jaillir un geyser fumant.

— À la plage! hurle Blade, debout à la proue, un sabre d'abordage dans une main et son fouet au manche en os dans l'autre. Si vous voulez remplir vos poches d'or espagnol, il faut souiller vos épées avec du sang espagnol!

La bataille a commencé.

CHAPITRE UN

Un plongeur sur mille aurait remarqué le faible reflet au fond de la mer. Dante Lewis, lui, l'aperçoit immédiatement.

Une pièce d'argent!

Le cœur battant la chamade, il dégonfle son gilet stabilisateur et se met à descendre dans sa direction en croisant, au passage, d'imposantes formations de corail et des nuages de vie marine.

Dans les hauts-fonds cachés, au large de Saint-Luc, une île des Caraïbes, on peut voir quelques-unes des couleurs les plus spectaculaires sur terre – le turquoise vibrant d'un poisson perroquet, le magenta électrique d'algues rouges, le jaune néon de la queue d'un vivaneau, le violet chatoyant d'un banc de maniocs.

Mais Dante ne perçoit rien de tout cela.

Ce n'est pas tout à fait exact. Il peut tout voir – et beaucoup mieux que la moyenne des gens. Mais seulement en noir et blanc, et en nuances de gris.

Le jeune photographe prometteur, âgé de treize ans, est daltonien. C'est pour ça qu'il a accepté de prendre part au stage de plongée offert par l'Institut océanographique Poséidon. Pas pour apprendre à reconnaître les couleurs; son cerveau n'est pas équipé pour ça. Mais peut-être qu'il pourra apprendre à les repérer, trouver le moyen de les distinguer à partir d'indices qu'il peut voir – la lumière, le noir et l'ombre.

Il jette un coup d'œil au profondimètre de sa montre de plongée pour voir à quelle profondeur il est rendu. Quinze mètres.

Jusqu'à présent, son plan est un échec lamentable. Vêtu de l'attirail de plongée au complet, Dante attrape sa caméra sous-marine Nikonos pour photographier un monnaie caraïbe à ocelles – un escargot tacheté très rare qu'on dit orange sur pêche. Aux yeux de Dante, il est gris sur gris.

Tout est gris sur gris, se dit-il tristement. *Et ça le sera toujours.*

Vingt mètres. Il regarde vers le bas. Le reflet argenté est encore très loin.

Dante a l'impression d'être prisonnier sur une île arriérée, au milieu de nulle part, pour tout l'été. Il n'y a rien d'autre à faire que plonger, une activité pour laquelle il n'a aucun talent et encore moins d'intérêt. Il a déjà failli se faire tuer au moins une fois.

Et pour quoi? Pour des poissons gris, des plantes grises et des coraux gris.

Mais dans ces eaux, il y a de l'argent provenant de bateaux qui ont coulé au fil des siècles. Dante et ses compagnons ont déjà trouvé une pièce de huit espagnole. Il fronce les sourcils. Leur superviseur, Tad Cutter, leur a volé la pièce vieille de trois cents ans. Les stagiaires ne commettront plus l'erreur de faire confiance à ce Californien à la parole facile.

6

Vingt-cinq mètres. Il n'est jamais descendu à une telle profondeur, mais c'est à peine s'il le remarque. Il se concentre entièrement sur la source du miroitement.

Ses palmes touchent enfin le fond doux et sablonneux. Il regarde l'objet qui l'a attiré dans les profondeurs.

Une canette de 7UP.

La déception monte en lui, comme les nuages de bulles qui s'élèvent de son appareil respiratoire.

Il se réprimande : *Tu es vraiment stupide.* C'est fou de penser que chaque reflet dans l'océan provient d'un trésor perdu. Mais comme il aurait aimé mettre la main sur une pile de pièces d'argent et les flanquer sous le nez de Cutter! L'homme de l'institut ne s'est pas contenté de leur piquer une petite pièce. Lui et son équipe ont fait leur le site de l'épave d'où elle provient.

Ils sont probablement là, en ce moment, en train de creuser pour s'emparer de notre découverte!

C'est du vol, aucun doute là-dessus. Et pourtant, l'affaire ne semble pas toucher Dante pour le moment. Même qu'il se sent plutôt bien. Une fatigue sourde, agréable, comme l'état d'euphorie d'un coureur.

C'est drôle, d'habitude il est plutôt nerveux quand il plonge. Pour lui, l'eau est un milieu qui n'est pas fait pour les humains. Mais maintenant, il commence à se sentir en confiance. Intrépide, même.

Un poisson-papillon bizarre – une masse d'épines, de nageoires et de rayures – s'aventure tout près.

Un porc-épic sous-marin portant des vêtements haute-couture!

7

Une partie éloignée de son cerveau dit à Dante qu'il devrait prendre une photo. Mais il ne fait aucun geste pour saisir la Nikonos attachée à son bras. Il tend plutôt la main pour toucher une nageoire rayée au motif détaillé.

L'attaque arrive d'en haut et le renverse. Sa partenaire de plongée, Star Ling, une jeune fille de quatorze ans, l'attrape par la taille à la façon d'un joueur de football et l'éloigne de sa proie. Elle agite un index réprobateur sous son nez, puis sort rapidement une ardoise de plongée et y gribouille : POISON!

Son champ de vision s'obscurcissant sur les côtés, Dante plisse les yeux pour essayer de lire le message. Il peut voir toutes les lettres, mais n'arrive tout simplement pas à les mettre ensemble pour former un mot. Ce que le jeune photographe ne sait pas, c'est qu'il est aux prises avec la narcose à l'azote – l'ivresse des profondeurs. En eaux profondes, la pression a pour effet de dissoudre dans le sang l'azote présent dans l'air; ce qui produit un état semblable à l'ivresse. Dans le jargon de la plongée, Dante est « narcosé ».

Tout ce qui pénètre son esprit, c'est qu'il était en train de s'amuser et que Star est venue tout gâcher. Le poisson-papillon s'est enfui et tous les efforts qu'a déployés Dante l'ont fait transpirer.

Qui a besoin d'une combinaison en caoutchouc pour nager dans de l'eau bouillante?

Sous les yeux horrifiés de Star, Dante baisse la glissière de sa légère combinaison de plongée tropicale et commence à l'enlever. Dans l'état d'ivresse où il se trouve, il a oublié que la combinaison ne sert pas à le garder au chaud; mais plutôt à le protéger contre les piqûres des coraux et d'autres organismes marins venimeux.

Star l'attrape et s'accroche à lui. Dante se débat, le haut de sa combinaison pendant à sa taille.

C'est alors que Star aperçoit le requin.

CHAPITRE DEUX

C'est un requin bouledogue d'environ deux mètres et demi de long, mais qui a l'air plus gros en raison de l'effet grossissant de l'eau. Il ne s'agit pas de Clarence – les jeunes plongeurs ont déjà eu une prise de bec avec le requin-tigre de six mètres, une légende locale. Mais Star est une plongeuse expérimentée et elle sait que les bouledogues peuvent se montrer agressifs. Surtout si celui-là prend leur agitation pour les soubresauts d'un poisson blessé.

— Calme-toi! aboie-t-elle dans son détendeur, goûtant l'eau salée.

Les facultés de Dante sont trop embrouillées pour qu'il tienne compte de l'avertissement. Ses yeux, à peine ouverts, ne sont que des fentes derrière son masque.

Le prédateur n'est qu'à quelques mètres, assez près pour que Star puisse voir le rémora qui s'est fixé au ventre du requin et attend de pouvoir se nourrir des restes de la proie.

Star est déchirée. Devrait-elle s'éloigner? Si elle le fait, qu'est-ce qui va arriver à Dante? Les partenaires de plongée sont censés s'entraider.

Soudain, une forme en caoutchouc noir jaillit tout près; un corps mesurant près de deux mètres, qu'une discipline rigide a transformé en torpille. C'est Menasce Gérard, un guide de plongée colossal natif de l'île, qui porte le surnom étonnant de l'Anglais. Propulsé par le puissant battement de ses palmes, il s'avance vers le requin. D'un seul mouvement, il prend la caméra qui pend au bras de Dante, se retourne et la lance de toutes ses forces sur le museau plat du bouledogue.

Saisi, le requin s'arrête. Il est évident qu'il ne s'attendait pas du tout à un coup sur le nez. Il fait demi-tour abruptement et s'éloigne dans un remous. Un poisson plus petit sort du tourbillon; il mesure trente centimètres et a une ventouse ronde sur le dos. C'est le rémora, qui a été délogé pendant l'échauffourée. Il fonce à droite et à gauche, cherchant en vain le bas-ventre pâle du bouledogue. Ne trouvant rien, il panique et va se fixer sur la poitrine nue de Dante.

C'est assez pour faire sortir Dante de sa torpeur. Il se met à hurler et souffle un nuage de bulles au visage de l'Anglais. Il essaie de détacher le rémora, mais celui-ci est trop bien collé à sa peau. Même le guide ne réussit pas à arracher le poisson.

L'Anglais leur fait signe de remonter à la surface, mais toute l'attention de Dante est fixée sur son nouveau compagnon.

— Lâche-moi! Lâche-moi!

Il avale de l'eau et s'étouffe. Aussitôt, le guide attrape Dante par-derrière et l'enserre fortement en croisant les bras. Incapable d'atteindre son propre gilet de stabilisation, il gonfle celui de Dante jusqu'à ce que les deux commencent à remonter cahin-caha. Star les suit.

Ils font surface à environ vingt mètres du R/V *Hernando Cortés*, leur bateau de plongée. Les symptômes de la narcose disparaissent à mesure qu'un plongeur remonte; Dante n'est donc plus étourdi, mais il est devenu hystérique.

— Enlevez-le! Enlevez-le!

Doutant fort que le garçon puisse nager dans cet état, l'Anglais le remorque jusqu'au *Cortés* à la façon d'un sauveteur. Les deux autres jeunes stagiaires, Bobby Kaczinski et Adriana Ballantyne, le tirent sur la plate-forme de plongée.

Adriana reste bouche bée en voyant le poisson accroché à Dante.

— Qu'est-ce que c'est, ça?

L'Anglais monte vite les rejoindre.

— Un rémora! s'exclame-t-il en essayant de glisser ses mains sous la ventouse du poisson.

—Vous me faites mal! se lamente Dante.

Star sort de l'eau la dernière. Elle se débarrasse de ses palmes d'un coup de pied et s'approche de Dante. Elle boite – c'est la conséquence d'un cas mineur de paralysie cérébrale – mais sous l'eau, le handicap disparaît. Soulevant sa bouteille de plongée ruisselante, elle se met à frapper le rémora avec le fond plat. Dante recule en titubant, puis tombe lourdement sur le pont.

— Qu'est-ce que tu fais? Tu veux me tuer? dit-il en haletant.

— Tais-toi, jeune idiot! ordonne l'Anglais avec son accent des Caraïbes.

Ce n'est pas sa première prise de bec avec les quatre adolescents et il n'est pas d'humeur à se montrer compréhensif.

— Quand on ne fait rien, tu te plains! Quand on fait quelque chose, tu te plains encore plus!

— Mais qu'est-ce qu'on va faire s'il reste pris là pour toujours?

— Qu'est-ce que c'est que tout ce bruit? demande le capitaine Braden Vanover, debout sur la passerelle haute.

Puis il aperçoit le poisson fixé à la poitrine de Dante.

— Sapristi! s'exclame-t-il, avant de disparaître.

Il revient un moment plus tard avec une bouteille de rhum jamaïquain et une seringue hypodermique. Il plonge l'aiguille dans la liqueur, en tire un peu de liquide brun et l'injecte dans le rémora, juste derrière les fentes branchiales.

Le poisson gris tombe sur le pont et se met aussitôt à se débattre furieusement sur les planches vert olive. l'Anglais le fait tomber à la mer d'un habile coup de pied.

Puis il tourne son attention furieuse vers Dante.

— Est-ce que monsieur voulait poser pour le spécial maillots de *Sports Illustrated*? Pourquoi est-ce que tu as enlevé ta combinaison à vingt-cinq mètres?

— Il était narcosé, dit Star d'un ton suppliant.

— C'est pas ma faute, se défend Dante. Comment

est-ce que j'aurais pu savoir qu'un poisson fou allait se coller sur moi? Ça aurait pu arriver à n'importe qui.

— Ça n'arriverait à personne d'autre! fulmine le guide. Vous autres, vous attirez les problèmes comme un aimant géant! Je ne veux plus m'occuper de ces adolescents américains, ajoute-t-il en se tournant vers le capitaine. J'en ai assez! La prochaine fois qu'ils vont aller plonger avec vous, il va falloir que vous dénichiez un autre guide!

Il enlève sa combinaison dégoulinante et descend en ouragan.

— Je suis Canadien, lui lance Kaz.

Si l'Anglais l'a entendu, il n'en laisse rien paraître.

Les quatre stagiaires échangent un regard angoissé. Leur programme de stage est une imposture – un écran de fumée pour la chasse au trésor de Tad Cutter. Les séances de plongée avec le capitaine Vanover et l'Anglais étaient tout ce qui empêchait leur été d'être un fiasco total. Maintenant il n'y en aura plus.

— Bon, dit le capitaine lentement. Vous avez entendu la mauvaise nouvelle. Est-ce que quelqu'un veut entendre la bonne nouvelle?

— Ça ferait pas de tort, répond Adriana.

— Le bureau vient tout juste de m'appeler. L'équipe de l'HASP a terminé sa recherche quelques jours plus tôt que prévu. Le prochain projet ne commence pas avant une semaine. La station est à vous, si vous voulez.

CHAPITRE TROIS

L'Habitat autonome sous-marin de Poséidon ou HASP est un laboratoire sous-marin bâti dans les hauts-fonds cachés, à vingt mètres sous la surface. Des scientifiques appelés aquanautes peuvent y vivre et y travailler pendant plusieurs jours d'affilés et passer tout leur temps à plonger.

Pour Star, c'est un rêve devenu réalité.

— Le seul problème avec le scaphandre autonome, c'est que ça dure pas assez longtemps. Mais si tu habites dans l'HASP, quand t'as plus d'air, tu nages jusqu'à la station, tu changes de bouteille et tu retournes dans l'eau. Et y'a pas de décompression parce que t'as pas besoin de retourner à la pression de surface. Ta maison est en plein sur le récif.

— Ta maison... c'est une vraie boîte à sardines sous-marine, lâche Dante sur un ton amer.

— Même quand tu plonges pas, c'est super, continue Star. Parce que t'es à vingt mètres sous l'eau. Tu regardes par la fenêtre et t'es dans le feu de l'action.

— Ouais, dans le feu de l'action, grommelle Dante, mais entassés les uns sur les autres.

Les quatre jeunes se trouvent dans le pavillon que partagent les deux filles. Adriana est en train de remplir son sac pour leur séjour sous l'eau. D'un air affligé, elle regarde tour à tour la pile de vêtements dernier cri aux couleurs assorties et le minuscule sac étanche qui a à peu près la taille du sac à dos d'un enfant de la maternelle. Tout ce qu'elle ne peut pas y placer devra rester sur la terre ferme.

— C'est impossible, se plaint-elle. Si je prends le short rouille, il faut que j'apporte le coton ouaté qui va avec. Mais il est si épais qu'il remplit tout le sac!

— Rouille? répète Dante. C'est une couleur, ça?

— C'est entre taupe et sienne brûlée, répond Adriana en hochant la tête.

— Merci pour le renseignement, lance Dante sur un ton sarcastique. Mets n'importe quoi. On va être tellement écœurés de se regarder que, même si tu portes un costume de lapin, personne va le remarquer.

— Et apportez votre brosse à dents, ajoute Star. On va respirer de l'air recyclé, mais je pense pas que le régénérateur de CO_2 va pouvoir éliminer la mauvaise haleine.

Ils ne doivent rien oublier. Pour retourner à la surface après une demi-journée à la station, il faut passer dix-sept heures dans une chambre de décompression.

Aussitôt que leurs sacs sont faits, les quatre jeunes profitent de leur dernière chance d'envoyer des courriels à la famille et aux amis en utilisant le laboratoire d'informatique de Poséidon. Les ordinateurs de l'HASP sont reliés au monde extérieur par un système de télémétrie sans fil. Comme la connexion est chère, il existe des règlements stricts quant à son utilisation pour la correspondance personnelle.

Kaz répond à des messages que lui ont envoyés ses parents et son agent, Steven Allagash. Kaz avait d'excellentes chances de devenir joueur de hockey professionnel. Il était considéré comme le jeune défenseur torontois le plus prometteur des vingt dernières années.

Ça, c'était avant.

Il envoie un seul autre courriel, qu'il adresse à un garçon répondant au nom de Drew Christiansen. Ce n'est pas qu'ils sont des amis. En fait, Kaz ne comprend pas pourquoi Drew ne le considère pas comme l'ennemi public numéro un, après ce qui est arrivé.

C'était au cours de la finale de l'Association de hockey mineur de l'Ontario, la sixième partie. Kaz peut encore sentir le choc de sa mise en échec, qui avait pour but d'éloigner Drew du filet. C'était un coup tout à fait dans les règles – même Drew l'a admis. Un accident qui se produit rarement, selon les médecins. Traumatisme à la colonne vertébrale.

Cet instant terrible a mis fin aux carrières éventuelles de Drew Christiansen et de Bobby Kaczinski.

Drew n'y pouvait rien : il n'allait plus marcher. Quant à Kaz, il ne voulait plus rien savoir d'un sport qui pouvait faire de lui un instrument de destruction. Voilà pourquoi il a demandé à participer au programme de stage de Poséidon. La plongée dans les Caraïbes lui semblait alors aux antipodes du hockey au Canada.

Il se sent ridicule d'envoyer un message du style « Ce que j'ai fait pendant mes vacances d'été » à un étranger dont il a gâché la vie.

Mais je vais pas faire comme si c'était pas arrivé...

— Hé! appelle Adriana, tout excitée. J'ai reçu une réponse de mon oncle!

L'oncle d'Adriana, Alfred Ballantyne, est un spécialiste des antiquités. Elle lui avait envoyé, par courriel, la photo d'un artefact que Star a rapporté du site de l'épave – un manche de fanon, sculpté avec art.

Adriana se met à chuchoter quand les autres se rassemblent autour d'elle. Ils n'ont parlé à personne de l'artefact. Ils savent que, si Tad Cutter, le chasseur de trésor, entend parler de leur découverte, il essaiera de la leur enlever, comme il l'a fait avec la pièce de huit, la pièce d'argent espagnole. Ils ne savent plus à qui faire confiance à l'institut. Il est plus sûr de ne faire confiance à personne.

Adriana pointe le curseur sur le corps du message.

— Juste ici.

[...] Je ne crois pas que ton artefact soit la poignée d'une épée ou d'un poignard parce que rien n'indique qu'il y avait une garde ou un quillon. Je dirais plutôt qu'il s'agit de la poignée d'une canne ou peut-être même d'un fouet (des objets utilisés couramment au cours des voyages en mer pour mater à la fois l'équipage et les rats).
Je ne peux pas dire de quelle sorte de pierre il s'agit, à cause du corail incrusté

dessus, mais je suis certain que tu as remarqué les lettres JB gravées juste en dessous. Ce sont peut-être les initiales de l'artisan, mais je crois plus probable que ce soient celles du propriétaire. Au-dessus, tu peux voir un dessin représentant un chardon. Tu reconnaîtras là le symbole des Stuart, les monarques britanniques qui ont régné au XVIIe siècle et au début du XVIIIe. L'objet doit donc avoir été fabriqué en Angleterre à cette époque-là [...]

— Wow! souffle Kaz. Cette chose-là est une véritable pièce de musée.

— Et quand je pense qu'elle est cachée au fond de mon tiroir de petites culottes, ajoute Star.

— Ouais, mais ça nous dit pas combien ça vaut, fait remarquer Dante, qui a tendance à voir ces artefacts en termes de dollars et de cents. Va plus bas. Je veux voir ce qu'il dit d'autre.

— Oh, ça concerne la sculpture à la fenêtre de l'Anglais, lui dit Adriana. J'ai envoyé une photo de ça aussi à mon oncle.

À la fenêtre de la maison du guide de plongée – un natif de la place –, il y a un gros fragment de ce qui était autrefois une énorme sculpture représentant un aigle. On leur a dit que c'était une sorte d'héritage familial. L'Anglais refuse d'en parler.

Adriana fait défiler le texte vers le bas.

[...] Ton autre spécimen est encore plus mystérieux. Il provient peut-être d'un bateau, ce qui expliquerait son origine européenne. Les anciens navires en bois étaient ornés de sculptures très détaillées. Les artisans, superstitieux, étaient persuadés qu'elles éloignaient la malchance, les mauvais esprits, les ouragans, la fièvre et les pirates. Il se peut que l'aigle soit de style anglais; c'est peut-être pour cette raison que ton ami est surnommé l'Anglais [...]

— Ton ami, grogne Kaz. Avec des amis comme ça, qui a besoin de Darth Vader?

— Salut, l'équipe! les interpelle Marina Kappas, qui se dirige vers eux en se frayant un chemin entre les rangées de bureaux.

Adriana ferme immédiatement son programme de courrier électronique. Marina fait partie de l'équipe de chasseurs de trésor de Tad Cutter. Elle est affable, sympathique et semble honnêtement se préoccuper du bien-être des adolescents. Elle est aussi très belle, ce qui produit tout un effet sur Kaz et Dante. Les filles, elles, ne se laissent pas impressionner. Mais sa beauté et son attitude n'enlèvent rien au fait qu'elle est une collègue de Cutter et donc, qu'elle appartient à l'autre clan.

— J'ai entendu dire qu'on vous enlève pour vous envoyer passer quelques jours dans l'HASP, continue Marina. Vous allez nous manquer.

— J'en suis sûre, laisse tomber Star d'un ton sarcastique. On peut voir que vous vous préoccupez vraiment de nous quand vous vous levez à quatre heures du matin pour partir sans nous.

Cutter et compagnie évitent leurs stagiaires depuis le premier jour.

— Des vrais bourreaux de travail, dit Marina en haussant les épaules. Tad et Chris perdent la tête quand ils travaillent à un projet. Vous allez adorer l'HASP. On y est un peu à l'étroit, mais c'est tout à fait fascinant.

Les quatre jeunes échangent un regard plein de sous-entendus. Marina Kappas se fiche qu'ils soient fascinés ou non. Tout ce qu'elle veut, c'est que les stagiaires soient dans la station au fond de l'eau, loin de son équipe, qui pourra ainsi continuer librement à chercher le trésor enfoui, sans risquer de se faire épier.

CHAPITRE QUATRE

La proue du R/V *Francisco Pizarro* fend les petites vagues à la surface de la mer des Caraïbes, autrement parfaitement lisse. C'est le premier voyage des stagiaires avec le capitaine Janet Torrington, qui doit les conduire à l'HASP, où ils resteront cinq jours.

Le capitaine leur parle d'Igor Ocasek, le scientifique qui partagera la petite station avec eux.

— Iggy est un génie, ce qui veut dire que la moitié du temps il a l'air aussi stupide qu'un tas de cailloux. Quand son cerveau est fixé sur un problème, tu peux te tenir à dix centimètres de son nez et crier à pleins poumons; il ne se rend même pas compte que tu es là.

— Qu'est-ce qu'il étudie? demande Adriana.

— Les mollusques sont sa spécialité, répond Janet Torrington en haussant les épaules, mais maintenant, je dirais plutôt qu'il est un spécialiste du bricolage.

— Du bricolage? répète Kaz.

— Jouer avec des choses, trifouiller, vous comprenez? Réoutiller, réparer, recâbler. Il peut améliorer n'importe quoi. Iggy a conçu un trombone amélioré l'année passée, si vous pouvez le croire. Il serait de qualité ergonomique supérieure. Mais je ne m'y connais pas trop. Le trombone est à Washington, avec brevet en instance.

Quand ils approchent des hauts-fonds cachés, le capitaine Torrington ralentit et le *Pizarro* glisse avec précaution entre les bouées repères. Celles-ci servent à indiquer les têtes de corail qui se dressent si près de la surface qu'elles présentent un danger pour la navigation. C'est sérieux. Un récif vivant cache un centre calcaire assez solide pour fendre la coque d'un bateau.

Kaz montre du doigt la silhouette d'un autre bateau qui ondule dans les reflets thermiques à l'horizon.

— Est-ce que c'est le *Ponce de León*?

Le bateau de Tad Cutter.

Dante fronce les sourcils en regardant la silhouette.

— Je pensais qu'il passait tout son temps au-dessus du site de l'épave.

— Mais c'est le site de l'épave! s'exclame Star. Je me demande à quelle distance on va être.

À cet instant, le capitaine Torrington coupe le moteur; le *Pizarro* se colle à la bouée d'équipement de vie de l'HASP. Le capitaine saute sur le plat-bord et amarre le bateau.

— Dernier arrêt. Un chez-soi loin de chez soi.

Les quatre stagiaires commencent à enfiler leur combinaison légère.

— Ça pouvait pas mieux tomber, chuchote Star. C'est une occasion parfaite d'explorer le site par nous-mêmes.

Dante s'affaire à glisser la courroie bien ajustée de sa Nikonos au-dessus de son coude.

— Je suis pas sûr, Star. D'après moi, c'est à environ un kilomètre d'ici, à la nage. Peut-être que toi, t'es capable, mais pas nous – pas aller-retour.

Star hausse les épaules, où elle a déjà fixé sa bouteille de plongée.

— Alors, je vais y aller toute seule.

— Toute seule! s'exclame Adriana en la fixant des yeux. Le système de partenaire est quasi sacré chez les plongeurs.

— Cutter et son équipe pourraient être en train de sortir toutes sortes de choses valant des millions de dollars sans qu'on le sache, rétorque Star. C'est la seule façon de vérifier. Allons-y, ajoute-t-elle en descendant son masque.

Avec leur sac étanche attaché à leur gilet stabilisateur, les quatre jeunes descendent sur la plate-forme de plongée, enfilent leurs palmes et sautent dans les vagues.

Le capitaine Torrington les salue de la main.

— À la semaine prochaine. Saluez Iggy de ma part.

Star, qui est toujours à la surface, met sa montre sous-marine en mode boussole et note soigneusement la position du *Ponce de León*. Est-nord-est, ou juste à côté.

Ils dégonflent leur gilet et se laissent couler avec aisance dans les vagues. Dès qu'elle est sous l'eau, Star a l'impression que son handicap disparaît. Ici, aucune faiblesse de son côté gauche, ni ailleurs. Star Ling est dans son élément. Elle se sent bien; elle est gracieuse; elle est chez elle.

Il ne s'agit pas d'une séance de plongée récréative. En fait, ils doivent tout simplement suivre les cordons ombilicaux de la bouée et se rendre directement à l'HASP.

Star passe à travers un nuage chatoyant de grondeurs aux rayures bleues et blanches. Elle a déjà pris une bonne avance sur les autres. Elle a l'habitude de les attendre; Kaz, Dante et Adriana sont des plongeurs inexpérimentés. Au début, les plongeurs étaient déconcertés – pourquoi choisir une bande de débutants pour un stage prestigieux? Maintenant, ils comprennent parfaitement : Tad Cutter croyait que des novices ne découvriraient pas ses projets secrets. Il était convaincu que le handicap de Star l'empêcherait de se mêler de ses affaires.

Meilleure chance la prochaine fois, mon vieux Tad!

Juste au moment où elle croise un hippocampe, un rayon de soleil traverse le corps brun translucide de l'animal, produisant l'effet d'un rayon X. *Elle est enceinte!* se dit Star, qui s'empresse de se corriger : *C'est « il » que j'aurais dû dire.* Il s'agit d'un renversement rare dans la nature : c'est l'hippocampe mâle qui porte les petits.

L'HASP a l'air d'un moteur de voiture géant, posé sur le fond de l'océan. Au centre se trouve le lieu de séjour principal de la station – un tube d'acier faisant trois mètres de large par quinze de long. Star flotte à côté d'un casier sous-marin de bouteilles d'air comprimé en attendant que les autres la rejoignent.

Comme le dessous de la station est couvert de miroirs, l'entrée ressemble à un trou carré au milieu de l'océan; on dirait un portail magique vers la terre ferme, vingt mètres sous les vagues. Ce qu'elle ressent en se hissant par l'ouverture pour entrer dans l'air pressurisé est irréel.

Une courte échelle en métal mène au sas partiellement immergé. C'est là que les stagiaires se débarrassent de leur équipement.

— Regardez ça! s'écrie Star en montrant du doigt un support sur lequel se trouvent six scooters sous-marins.

Les véhicules ont vraiment l'air de bombes. En réalité, leur « queue » est un caisson protégeant les hélices qui leur permettent d'avancer dans l'eau.

— Un moyen de transport pour se rendre au site de l'épave.

Les quatre jeunes défont leur bagage étanche – il est interdit d'apporter quelque chose de mouillé de l'autre côté de l'écoutille menant à la surface habitable de l'HASP. Chacun transporte ses effets personnels dans ses bras et passe pieds nus par l'écoutille étanche, pour se rendre dans le sas d'entrée.

Une succession rapide de bruits secs, comme des coups de mitrailleuse, résonnent dans l'espace réduit. Un barrage de projectiles chauds fouette le visage de Kaz, qui se trouve en tête.

Il reste bouche bée. Du maïs soufflé jonche le tapis industriel de couleur sombre. Au centre de la pièce est agenouillé un jeune homme aux longs cheveux se dressant dans toutes les directions. Il tient une lampe à souder sous une énorme coquille de conque, qui déborde de grains éclatés.

Quand il aperçoit les jeunes, il éteint vite la lampe à souder.

— Désolé. Bienvenue à bord de l'HASP. Je suis Iggy Ocasek.

Incapable de leur serrer la main, il leur tend la coquille :

—Vous avez faim?

— Non, merci, répond Kaz, qui fait aussitôt les présentations. Kaz, Star, Adriana et Dante.

Les deux derniers sont à quatre pattes, en train de ramasser les vêtements qu'ils ont échappés au cours du bombardement.

— Ce n'est pas ce que vous pensez, explique le Iggy Ocasek en déposant le coquillage et la lampe sur un comptoir en acier inoxydable. Poséidon devrait bientôt permettre une étude importante sur la façon dont les coquilles des mollusques conduisent la chaleur dans les profondeurs. Comme j'ai les mollusques, la chaleur, les profondeurs et...

— Le maïs soufflé? conclut Adriana.

— On apprend à improviser ici, admet Ocasek. Avouez que le coquillage a merveilleusement bien conduit la chaleur.

Pendant que le scientifique nettoie le tapis avec un aspirateur portatif, les quatre stagiaires explorent leur environnement. L'habitat est aménagé comme la cabine d'un avion. Un couloir étroit s'étendant d'un bout à l'autre est flanqué de murs en acier, qui ont l'air menaçants avec leurs interrupteurs, cadrans et indicateurs. Des ampoules nues diffusent une lumière crue et dure. Il y a un peu du confort que l'on trouve chez soi : une salle de bain microscopique entourée d'un léger rideau opaque, un petit réfrigérateur-congélateur, un four micro-ondes et une table encastrée qui peut accueillir six convives.

— Six *hobbits*, fait remarquer Dante.

Au bout de la station, il y a trois étages de couchettes de chaque côté du couloir. Il est facile de reconnaître celle du scientifique, en bas à gauche. Le lit, qui n'a pas été fait, porte des outils, un rouleau de ruban électrique, des bouts de câble et un pistolet à souder. À côté, le panneau mural a été enlevé et une couverture électrique a été câblée aux entrailles de l'habitat.

— Il doit faire froid la nuit, dit Star avec une pointe d'ironie.

— Ce gars-là est fou, déclare Dante. S'il cause un court-circuit dans la station, c'en est fini des pompes à air et tout le monde suffoque.

— C'est un excentrique, c'est tout, dit Kaz pour le rassurer.

— Peut-être, mais moi je dors pas sans ma bouteille de plongée.

— Comme tu veux, dit Star en riant. Venez, allons trouver une épave.

CHAPITRE CINQ

Porter un bloc de deux bouteilles est encombrant et lourd. Adriana essaie de s'habituer à leur taille. Elle sait qu'il est tout à fait logique d'apporter plus d'air. Puisqu'ils n'ont pas à se soucier de décompresser en retournant à la surface, les aquanautes de l'HASP peuvent rester sous l'eau pendant des heures.

Tandis qu'Ocasek nage autour d'eux pour aider les autres à s'équiper de bouteilles d'air supplémentaires provenant du casier sous-marin, une murène d'environ un mètre le suit comme un chiot en adoration. De temps à autre, le scientifique met la main dans sa sacoche de plongée et lui lance de la nourriture.

— Un sandwich au beurre d'arachide, explique-t-il dans son détendeur.

Le beurre d'arachide est l'aliment de base de la station. Adriana a regardé dans le minuscule garde-manger et en a trouvé quatorze pots, et à peu près rien d'autre.

C'est quand tu as la langue collée au palais en permanence que le temps est venu de quitter l'HASP, se dit-elle.

Enfin, tout est prêt et les quatre jeunes actionnent d'un coup sec la poignée de démarrage de leur scooter.

Les hélices vrombissent et les propulsent en avant. Tandis qu'Adriana glisse dans l'eau avec souplesse, sa maladresse disparaît. Ce n'est pas la vitesse qui la surprend. En fait, elle avance à quelques kilomètres à l'heure seulement. Non, ce qui étonne Adriana, c'est l'extrême facilité avec laquelle elle se déplace au-dessus des formations de corail et d'éponges du récif. La plongée n'a jamais été une seconde nature pour elle, comme c'est le cas pour Star.

Cramponnée au guidon de son scooter, elle se range derrière Star, qui navigue en s'orientant avec la boussole de sa montre de plongée. Un couple d'aigles de mer fait la course avec elle un moment, avant de virer et de s'éloigner en ondulant des ailes. Même respirer est plus facile pour elle – des respirations lentes et naturelles, au lieu des halètements habituels dans son détendeur. Kaz lève le pouce en l'air. Même Dante a le sourire fendu jusqu'aux oreilles. Il n'y a rien de mieux pour se déplacer.

Elle a l'impression d'être une touriste qui admire le paysage et profite de la promenade. Libérée de la mécanique de son équipement de plongée, elle frissonne d'anticipation nerveuse. Une épave du XVIIe siècle!

Elle fronce légèrement les sourcils. Après deux étés consécutifs à travailler avec son oncle pour le musée de Londres, elle n'a pas obtenu le poste cette année. Alfred Ballantyne ne pouvait emmener qu'un seul assistant en Syrie pour effectuer ses fouilles archéologiques. Il a choisi le frère d'Adriana, Payton. Le stage à l'institut Poséidon a été presque un prix de consolation.

Mais une épave vieille de trois cents ans! C'est cent fois mieux qu'une fouille au Moyen-Orient. Du moins, ça le serait s'il n'y avait pas Cutter et son équipe de chasseurs de trésor.

Quand elle remarque le grondement, elle se rend compte qu'elle l'entend depuis déjà quelque temps. Elle scrute des yeux les profondeurs loin en avant de Star pour tenter d'identifier la source du bruit. Mais là-bas, l'eau est devenue brouillée, presque opaque.

Ils ont déjà vu ça. Quelque chose fait remonter des tonnes de boue et de limon; la mer bleu des Caraïbes bouillonne, créant une turbulence, un tunnel brun qui empêche de voir quoi que ce soit.

Une explosion? Cutter l'a déjà fait. Il avait dynamité le récif pour atteindre ce qui était caché sous le corail.

Mais non. Le son est constant; il ne s'agit pas d'un coup soudain. Et le volume augmente. Quelle que soit sa source, le grondement approche.

Et puis en plein devant, une force invisible saisit Star et la lance de côté avec mépris.

Adriana s'immobilise en essayant de comprendre ce qui vient de se produire. Quand elle est prête à réagir, il est trop tard; la force irrésistible s'abat sur elle.

L'océan lui-même est en mouvement, un contre-courant sous-marin. Avec une force incroyable, il la lance... en haut? En bas? De côté? Impossible de le savoir.

Des roches et des morceaux d'épave pris dans le tourbillon l'assaillent. Son masque est arraché, tandis qu'elle est ballottée violemment de tous les côtés. Elle ne se rend plus compte de quoi que ce soit. Il n'y a que le mouvement et la vitesse.

Quand Adriana heurte le corail, le choc lui coupe le souffle et lui arrache le détendeur de la bouche. Elle lâche le scooter, qui s'éloigne. La fonction d'arrêt automatique du véhicule coupe l'alimentation. Tout devient noir.

Est-ce que je suis morte?

La respiration qu'elle prend ensuite lui fait avaler de l'eau. Elle s'étouffe avec violence, désespérée.

Non... en vie... Ses pensées sont fragmentées, à moitié formées, et s'entrechoquent dans la noirceur de son esprit. *En vie... me noie...*

Elle s'efforce de garder les yeux ouverts, malgré le brûlement causé par l'eau salée. Puis elle cherche son détendeur à tâtons, finit par le trouver et le mord avec avidité. La bouffée d'air la ramène à la réalité. Elle a mal partout et ses yeux la font horriblement souffrir.

Il faut pas que je les ferme. Il faut que je voie!

C'est Dante qui est en train d'écoper. Ses palmes s'agitent furieusement, il virevolte, complètement hors de contrôle, et frappe un monticule de corail-cerveau. Est-ce qu'il est blessé? Où est Kaz? Et qu'est-ce qui est arrivé à Star?

Soudain, le grondement cesse. Au moment où la tempête de limon commence à se résorber, Adriana distingue une silhouette près de la source de la perturbation.

Trop grande pour être Star... Kaz peut-être?

Elle lève le bras pour faire un signe de la main, mais une poigne de fer le retient. Des mains puissantes la tirent en arrière, derrière la base solide d'une tête de corail. Kaz et Star y sont accroupis.

Alors, c'est qui la silhouette?

Star griffonne la réponse sur son ardoise de plongée : REARDON.

Adriana plisse les yeux. Elle peut distinguer la barbe du plongeur trapu sous le masque. Chris Reardon, l'autre membre de l'équipe de Cutter. Le troisième chasseur de trésor manie quelque chose qui ressemble à un énorme boyau faisant plus de trente centimètres d'épaisseur. Est-ce que c'est ça qui a secoué les quatre stagiaires dans tous les sens, comme un bouquet d'algues?

Les yeux lui font vraiment mal. Il faut qu'elle trouve son masque! Crispée de douleur, elle cherche dans le fond. Où est-il tombé? Puis elle l'aperçoit, niché sur un tapis d'anémones roses.

Reardon pousse l'interrupteur et le grondement recommence. En moins d'une seconde, le masque disparaît dans un blizzard de limon. Adriana ferme les yeux très fort pour essayer de les protéger des particules qui tourbillonnent partout dans l'eau.

Elle est coincée. Ils sont tous coincés.

CHAPITRE SIX

À bord du R/V *Ponce de León*, le bruit est à vous crever les tympans, beaucoup plus fort qu'il ne l'est sous l'eau.

L'appareil est une suceuse à air, mais Cutter et son équipe l'appellent le diplodocus. Le long et épais boyau qui s'allonge par-dessus le plat-bord du bateau et plonge dans l'eau ressemble à un dinosaure sauropode au long cou arqué, s'abreuvant à quelque lagune jurassique.

La machine est en fait un aspirateur, qui a été gonflé dans le but d'aspirer des morceaux de corail du fond de l'océan. C'est loin d'être un jouet. Il est suffisamment puissant pour briser du calcaire ou arracher un bras. Manipuler la suceuse n'est pas chose facile. Reardon doit plonger avec des bottes lestées et une ceinture de plombs de trente kilos pour ne pas être ballotté au bout de l'énorme boyau.

Le travail est aussi exténuant qu'ennuyant, mais c'est la seule façon de déterrer une épave enfouie depuis longtemps dans un récif vivant. On utilise d'abord le diplodocus comme appareil souffleur pour faire exploser en mille miettes le récif affaibli, et libérer les artefacts qui sont pris en dessous. Puis on s'en sert pour aspirer les débris et trouver les objets de valeur.

C'est ce que Cutter et Marina sont en train de faire. Le retour de la suceuse est déposé dans un énorme panier métallique qui flotte à la poupe du *Ponce de León*. Les deux chasseurs de trésor remontent au treuil des tonnes de corail brisé, un chargement après l'autre, les passent soigneusement au crible et brisent les plus gros morceaux avec des marteaux.

Jusqu'à maintenant, ils ont récupéré ainsi une grande quantité d'objets – des tasses, des bols et des assiettes de céramique, des bouteilles de verre, des boutons et des médailles en laiton, ainsi que des clous, charnières, poulies, boucles, balles de mousquet et boulets de canon rouillés. D'anciennes pierres de lest jonchent le pont du navire de recherche. Une ancre et les tubes incrustés de corail de deux canons reposent à l'abri des regards dans la cale du bateau. Ils ont trouvé toutes sortes d'artefact, sauf...

— Où est le trésor? rugit Cutter en frappant un morceau de corail dans lequel la moitié d'une soucoupe est emprisonnée. On n'a pas fait tout ça juste pour un chargement de vaisselle brisée!

— Les jeunes ont trouvé une pièce de huit, fait remarquer Marina en lançant une poignée de mitrailles sur un tas du même projectile.

— Ouais, juste une pièce d'une somme fabuleuse, lance Cutter d'un air dégoûté. Le *Nuestra Señora de la Luz* était rempli d'or et d'argent. Cette flotte-là transportait les richesses de l'Asie et de l'Amérique du Sud pour toute une année! Où sont-elles passées?

Marina fronce les sourcils.

— Est-ce qu'on est certains qu'il s'agit bien du *Nuestra Señora de la Luz*?

— Je ne vois pas ce que ça peut être d'autre. Chaque objet qu'on en sort est d'origine espagnole. Un seul galion s'est perdu au large de Saint-Luc, au milieu du XVIIe siècle. La plupart des flottes transportant un trésor prenaient la route du nord et passaient par La Havane et le détroit de la Floride. Je pense qu'il va falloir creuser encore plus fort, ajoute Cutter en soupirant.

Il fait signe à Bill Hamilton, le capitaine du *Ponce de León*, de remettre le treuil en marche. La petite grue soulève le panier de son train de flottaison, et un autre chargement de débris tombe sur le pont entre les deux chasseurs de trésor.

Cutter a les yeux rivés sur quelque chose. Enseveli sous des fragments de corail se trouve un masque de plongée.

— Chris! s'écrie Marina.

Ils se précipitent vers le plat-bord et scrute l'eau. Techniquement, Reardon ne fait pas de plongée en scaphandre. Il respire à même un long boyau relié à un compresseur qui flotte à côté du bateau. Marina saisit le câble de sécurité et donne deux coups secs, le signal pour remonter.

Ils attendent en retenant leur souffle.

— Décomp? s'interroge Marina, anxieuse.

Reardon est au fond, à vingt mètres, depuis presque une heure – assez longtemps pour commencer à envisager la décompression. Peut-être a-t-il pris une pause pendant la remontée.

L'alternative est tellement horrible qu'ils préfèrent ne pas y penser. Si sa tête s'était prise dans la suceuse...

Et soudain, Reardon refait surface avec un éclaboussement. Il nage avec maladresse, à cause du poids des bottes et de la ceinture qu'il porte, mais il réussit à se rendre jusqu'au compresseur.

— Qu'est-ce qu'il y a? demande-t-il.

En apercevant le masque sur le visage de leur partenaire, Cutter et Marina échangent un regard perplexe. Marina met ses mains en porte-voix.

— As-tu vu quelque chose au fond?

— Tu veux rire? répond Reardon. Quand ce monstre-là est en marche, c'est à peine si je peux voir mes mains devant mon visage.

Cutter se tourne vers Marina.

— C'est un site de plongée populaire. Le masque pourrait se trouver là depuis des années.

Elle examine la vitre, le plastique moulé et le serre-tête de caoutchouc. Il n'y a aucune tache de corail, d'algue ou d'anémone.

— Ouais, probablement, fait-elle.

Mais elle ne semble pas convaincue.

Après avoir cherché désespérément leurs véhicules pendant quelque temps, les plongeurs les aperçoivent enfin dans l'eau brouillée. Mais Adriana ne retrouve pas son masque.

Les jeunes sont tendus pendant le voyage de retour à la station. C'est à peine s'ils remarquent les couleurs spectaculaires du récif ou la multitude de créatures qui foncent à droite et à gauche, agitées par la tempête qu'a soulevée la suceuse à air. Toutes leurs pensées sont axées sur l'accident qu'ils ont évité de justesse. Aucune blessure sérieuse, et Reardon ne les a pas vus. Mais il s'en est fallu de peu. De trop peu.

Star ne quitte pas des yeux le cadran lumineux de la boussole de sa montre de plongée. Elle guide ses compagnons jusqu'à ce qu'elle atteigne un des câbles fixes de l'HASP. Les jeunes tournent alors à gauche et suivent la corde blanche jusqu'à ce que la forme familière de la station surgisse de nulle part.

Dante est le dernier à monter l'échelle, mais il babille déjà d'excitation quand sa bouche sort de l'eau dans le sas partiellement immergé.

— Wow, qu'est-ce qui nous a frappés? Une tornade sous-marine?

Il est interrompu par un coup assourdi, à peine audible. Adriana sursaute.

— Qu'est-ce que c'était? demande-t-elle.

Ils entendent de nouveau le bruit; c'est comme si quelqu'un frappait sur du verre.

Dante regarde à travers le hublot.

— Qu'est-ce que tu cherches? demande Star d'un ton amusé. La vendeuse de produits Avon?

Puis ils entendent une voix forte et amplifiée :

— Non! Par ici!

Les quatre jeunes sursautent. Iggy Ocasek les regarde à travers la fenêtre ronde de la chambre de décompression.

— Désolé de vous avoir fait peur, lance le scientifique dans l'intercom en étouffant un rire. Je sais que vous ne vous attendiez pas à me trouver ici. Il faut que je remonte à toute vitesse.

Dans le langage de l'HASP, à toute vitesse veut dire y arriver dix-sept heures plus tard. Ça prend tout ce temps pour que la chambre de décompression ramène un aquanaute à la pression de surface, sans risque de bends – ou mal des caissons. Les stagiaires devront subir le même traitement quand leur séjour sera terminé.

— Je pensais que vous alliez rester ici encore une semaine, dit Kaz.

— C'est plutôt urgent, répond le scientifique. Il y a eu une petite explosion dans mon laboratoire là-haut. Je ne comprends pas. Mes expériences explosent rarement.

— Est-ce que vous croyez que nous pouvons rester seuls ici? demande Dante d'un air gêné.

— Oh, ils vont envoyer quelqu'un d'autre ici. Je leur ai bien dit que vous étiez totalement autonomes. Mais vous savez à quel point Geoffrey est mère poule.

— Ouais, rétorque Kaz.

En fait, les jeunes sont convaincus que Geoffrey Gallagher, le directeur de Poséidon, se fiche pas mal d'eux. S'il y a une chose qui le préoccupe, c'est la mauvaise publicité que subirait l'institut si jamais quelque chose arrivait aux quatre jeunes stagiaires. Un tel coup pourrait interrompre la production du documentaire qui va faire de lui le prochain Jacques Cousteau.

Ils se départissent de leur équipement et passent à la queue leu leu par l'écoutille étanche, pour enfin arriver dans la station proprement dite.

Star sermonne Dante.

— Il faut que tu sois plus prudent. Tu as presque vendu la mèche.

Kaz est abasourdi.

— Tu penses qu'il fait partie de la bande de Cutter?

— Bien sûr que non, réplique Star. Mais si on garde le silence, y'a moins de risques pour que Cutter apprenne qu'on est sur son dos. Ça se peut qu'Iggy soit vraiment bavard. On veut pas qu'il raconte à tout le monde que Reardon est sur le récif, en train de faire quelque chose qui nous a presque tués.

— Je pense que cette chose-là était une suceuse à air, déclare Adriana. Y'a des archéologues sous-marins du musée à Londres qui en utilisent, mais seulement en dernier recours. Elles sont si puissantes qu'elles fracassent parfois les artefacts plutôt que de les ramasser.

— Elles fracassent aussi d'innocents nageurs qui passent tout près, ajoute Dante.

— On a été chanceux, dit Adriana sur un ton solennel.

— Qu'est-ce qui te fait dire ça? demande Kaz.

— Une suceuse à air fonctionne comme un aspirateur. On est arrivés quand Reardon s'en servait comme appareil souffleur pour briser les débris. Si on s'était trouvés là au moment où la machine était en mode succion, quelqu'un aurait pu se faire tuer.

— C'est notre trésor qu'ils aspirent, se plaint Dante sur un ton amer. S'ils deviennent riches à cause de notre découverte...

— Ça arrivera pas, promet Star. Mais il faut qu'on voie exactement ce qu'ils ont trouvé là-bas.

— Qu'est-ce qu'on va faire? lui dit Kaz d'un ton narquois. Nager jusque-là et dire à Reardon qu'on reprend notre épave?

— Non, réplique Star, on va attendre qu'ils rentrent chez eux, et puis là, on va la reprendre.

— Mais tu connais l'horaire de Cutter, proteste Dante. Il est sur le récif de l'aube jusqu'à la noirceur. Le seul moment où on pourrait l'éviter, c'est au milieu de la...

Consternés, les autres fixent Star du regard. Est-ce qu'elle est en train de proposer qu'ils fassent l'aller-retour entre le site de l'excavation et la station dans la noirceur d'encre de la nuit sous-marine?

Elle les regarde avec pitié.

— Avez-vous déjà entendu parler d'une invention qu'on appelle « lampe »? demande-t-elle, un grand sourire illuminant ses traits délicats. Et attendez de voir l'océan en pleine nuit.

CHAPITRE SEPT

Du haut de l'écoutille, Kaz scrute l'eau noire avec anxiété. Il a peur, aucun doute là-dessus. Pas des dangers habituels de la nuit, comme de se perdre ou d'être désorienté. Ni d'une panne de lampe de poche qui peut laisser un plongeur en plan dans le silence du noir infini.

Non, la peur de Kaz vient directement de ce qui l'intéressait et l'obsédait le plus quand il était tout jeune : les requins.

Les requins se nourrissent la nuit. C'est dans chacun des livres de sa bibliothèque personnelle consacrée aux prédateurs de la mer. Est-ce que ça veut dire que les plongeurs nocturnes courent davantage de dangers? Les spécialistes n'en sont pas convaincus.

Kaz n'avait jamais vraiment compris sa fascination pour les requins, jusqu'à ce qu'il en rencontre dans les eaux des hauts-fonds cachés. Tout s'est alors éclairci : il a une peur bleue des requins.

La plupart des requins qu'on trouve dans la région sont des requins nourriciers et des requins de récif d'environ un mètre de long – plutôt inoffensifs, si on ne les met pas en colère. Mais Kaz sait que des cousins plus gros et plus agressifs – comme les requins bouledogues, les requins-marteaux et les makos – rôdent aussi dans ces eaux. Et quelque part se cache Clarence, le monstrueux requin-tigre de six mètres, avec un gosier assez gros pour avaler un classeur au complet.

Kaz refoule son malaise et commence à descendre l'échelle.

— J'y vais le premier, marmonne-t-il, avant de mordre dans son embout et de glisser dans l'eau.

La lampe frontale dans sa cagoule crée une zone lumineuse autour de lui, un cocon de lumière en forme d'entonnoir, qui perce l'immense mer sombre. Il bat des jambes pour s'éloigner de la station et ajuste sa flottabilité avec la valve de son gilet stabilisateur. L'heure de pointe autour du récif a pris fin. Mais il s'aperçoit bientôt que l'eau est tout de même envahie par des créatures, différentes et plus petites. L'océan fourmille de millions de larves bleues qui ondulent. Les créatures, qui font à peine quelques millimètres chacune, restent là, absolument sans défense, tandis qu'elles se font attaquer par des milliers de minuscules prédateurs ronds avec des tentacules...

Des polypes! Kaz vient de comprendre. *La nuit, les polypes coralliens se détachent du récif et partent à la chasse*! Il a sous les yeux le premier maillon d'une chaîne alimentaire qui va jusqu'à Clarence, où qu'il se trouve.

Très loin, j'espère.

Les autres stagiaires flottent autour de lui maintenant et observent le spectacle nocturne. Sur un signe de Star, ils éteignent leur lampe frontale. Tout d'abord, l'océan leur semble totalement noir. Puis, au fur et à mesure que les yeux de Kaz s'adaptent, celui-ci commence à distinguer le clair de lune qui pénètre à vingt mètres de profondeur. La lumière et la couleur provenant des poissons brillent autour d'eux. C'est la bioluminescence – l'émission de lumière par des créatures vivantes. Une méduse, qui a l'air d'un gros champignon mobile aux mouvements rythmiques, émet au passage une lumière rose pâle. Même le plancton est bioluminescent, ce qui fait que l'eau étincelle comme un maquillage brillant.

Ils rallument leur lampe frontale et suivent Star, qui les conduit jusqu'au site de l'épave en se servant de la boussole sur sa montre. Kaz éprouve un certain vertige, un sentiment de puissance en dépassant les poissons, dont plusieurs ont l'air de dormir. Certains restent suspendus dans l'eau sans bouger, d'autres se sont fixés à du varech et à des gorgones. Il y a même quelques somnambules.

Le site est difficile à trouver. Ils seraient passés complètement à côté si l'eau n'avait pas été encore un peu brouillée, conséquence de l'emploi de la suceuse quelques heures plus tôt. Montés sur leur scooter, ils ratissent la zone à basse vitesse, en décrivant graduellement une spirale vers l'intérieur, jusqu'à ce que les yeux perçants de Dante finissent par apercevoir le fossé creusé dans le corail, résultat de l'excavation de Cutter.

Adriana vide son gilet de stabilisation pour diminuer sa flottabilité. Elle dépose son scooter, s'agenouille sur le fond marin et se met à fouiller les décombres de calcaire. Elle travaille seule pendant un moment, tandis que les autres restent en arrière, ne sachant pas trop quoi faire. Puis elle remarque leur inactivité et leur fait un signe impatient, pour faire comprendre qu'ils doivent se joindre à elle.

Kaz s'installe à ses côtés et commence à trier les débris. L'opération lui rappelle la fois où, quand il avait huit ans, la compagnie de téléphone avait défoncé l'asphalte de l'entrée des Kaczinski pour réparer un fil brisé. Les enfants du voisinage avaient passé des journées à « extraire » des blocs de bitume. Ils s'étaient tous beaucoup amusés, un moment rare pour Kaz, qui était constamment trimbalé d'un entraînement de hockey à un autre, pendant que les autres continuaient de s'amuser.

Mais ici – à trois milles kilomètres, vingt mètres de profondeur et deux atmosphères de pression de chez lui, à Toronto – il y a comme une urgence; c'est un moment de vérité. Il s'agit d'une vraie épave, et de véritables chasseurs de trésor sont à sa recherche. Et le trésor, s'il est là, va valoir de vrais dollars – des millions probablement.

Assez pour changer nos vies pour toujours.

C'est à prendre ou à laisser... S'ils ne font rien, Cutter et compagnie vont se servir. Kaz creuse plus vite.

La fièvre de l'or. Il se souvient d'un exposé en sciences sociales sur la ruée vers l'or du Klondike. Il sent qu'il est en train d'attraper la maladie.

Les clics et les sifflements oppressants de sa propre respiration sont amplifiés par son équipement de plongée. Sa respiration accélère, tout comme son pouls. Le moment où il va pousser un bloc de corail sous lequel il trouvera un trésor brillant de mille feux semble tellement près qu'il peut presque y goûter. Et l'envie irrésistible de continuer à creuser surpasse tout, même la fatigue.

Il peut voir ce même désir se refléter dans les gestes urgents des autres plongeurs. C'est particulièrement flagrant chez Dante, dont les yeux intenses presque fous sont agrandis par les lentilles de prescription de son masque.

Ils travaillent sans relâche et déplacent des blocs qui seraient bien trop lourds à manipuler à la surface. Mais l'effort supplémentaire consomme rapidement leur air, et bientôt, il faut changer les bouteilles.

Kaz se dépêche à remettre le tuyau en place. Sa première inspiration fait entrer une gorgée d'eau salée et brûlante dans ses poumons. En s'étouffant, il manipule maladroitement le boyau, cherchant désespérément à rétablir la circulation d'air. Il y parvient enfin, mais, chaque fois qu'il tousse, il aspire plus d'eau, ce qui provoque une autre quinte de toux.

Star l'attrape par les épaules.

— Est-ce que ça va? crie-t-elle dans son détendeur.

Kaz essaie de lui faire signe que oui, avec son pouce et son index, mais il ne réussit pas à reprendre le contrôle de sa respiration. Avec effort, il concentre son attention sur le champ de débris en forme de bol, sous lui. Moins il va penser au picotement constant dans sa gorge, moins il va tousser. Mais les recherches commencent à être déprimantes. Il n'y a rien d'autre ici qu'un tas de roches.

Il fronce les sourcils. Ça ne se peut pas. Le corail brisé est dentelé, irrégulier. Mais ces roches sont rondes et presque lisses, comme des pierres de carrière. Qu'est-ce qu'elles font au fond de la mer des Caraïbes?

Il lance un regard perplexe à Adriana. Il ne peut pas lire son expression derrière son masque, mais ses yeux brillent d'excitation. Elle sort son ardoise de plongée de la poche de son gilet et écrit : LESTE.

Bien sûr! Elle leur en a déjà parlé. Les anciens bateaux en bois transportaient des tonnes de pierres de lest qui les empêchaient de chavirer quand la mer se déchaînait.

C'est lui! C'est le bateau pris dans du corail depuis plus de trois cents ans!

Puis comme si sa soudaine compréhension avait ouvert une vanne de décharge, les artefacts commencent à faire leur apparition. Tout d'abord, Star trouve quelque chose qui a l'air d'une bosse sur un bâton. En regardant de plus près, elle voit qu'il s'agit d'une cuillère d'étain, dont le manche en os est emprisonné dans le corail. Ensuite, les yeux vifs de Dante se posent sur un fragment d'assiette. La première chose que découvre Adriana est un crucifix en laiton, suivi d'une poignée de balles de mousquet en plomb. Les jeunes repèrent ensuite d'autres ustensiles; ils jettent des douzaines de cuillères et de couteaux dans leur sac de plongée en mailles. Dante tombe sur une autre assiette, presque intacte celle-là, mise à part une petite ébréchure sur le rebord. Star déniche une petite bouteille de verre en parfaite condition.

Dante griffonne TRÉSOR? sur son ardoise. Adriana secoue la tête impatiemment en creusant avec ses deux mains gantées. Son visage rayonne de détermination.

Kaz s'empare d'un fragment de corail rond et le place sous le rayon de sa lampe frontale. La lumière vacille, puis se stabilise, ce qui lui permet de bien voir l'objet qu'il a sous les yeux.

Un cri lui échappe, envoyant un nuage de bulles vers la surface.

Là, en partie encastré dans le corail, se trouve un crâne humain.

Le crâne lui glisse des mains et retombe sur le récif brisé. Les autres restent bouche bée de dégoût.

Calme-toi, se dit Kaz. *Des gens meurent dans des naufrages. Tu sais ça. C'est pas une grosse surprise.*

Mais c'est une surprise. Il est ici pour faire de la plongée, pas pour se trouver nez à nez avec la mort.

C'est arrivé y'a trois cents ans! C'est pas pire que des momies exposées dans un musée!

Star est davantage préoccupée par la lampe frontale de Kaz qui clignote. Une panne d'équipement peut être encore plus périlleuse quand on plonge la nuit. Elle vérifie son approvisionnement en air. L'indicateur montre 1600 psi, mais les autres sont des plongeurs inexpérimentés et en ont probablement moins. Il serait préférable de rentrer.

Leur sac rempli d'artefacts, les jeunes retournent à leur scooter. Cette fois, c'est à peine si Kaz remarque la vie nocturne, sur le récif tout autour de lui. L'image du crâne, qui semble tirée d'un film d'horreur, reste là, devant lui, comme un totem de malheur. Qu'est-ce qu'ils ont ressenti quand ils se sont noyés dans ces eaux? Surtout pour un marin européen, si loin de tout ce qui lui était familier.

L'épave, c'est comme un guichet automatique sous-marin pour nous, se dit-il. *Mais c'est aussi une fosse commune.*

Il sent le poids des objets dans le sac accroché à sa ceinture. Ils volent les morts. Bon, pas tout à fait. Personne dans ce bateau qui a sombré depuis longtemps ne pourrait se servir de ça, maintenant. Mais il se sent quand même mal à l'aise.

Comme Iggy Ocasek est toujours enfermé dans la chambre de décompression, il est facile pour les stagiaires d'apporter leur sac en douce dans le sas principal. Adriana étend une serviette sur le comptoir en acier inoxydable, et ils étalent leurs artefacts ruisselants dessus.

Kaz fixe avec intensité les objets incrustés de corail, comme s'il attendait une révélation soudaine. Puis il se tourne vers Adriana.

— Est-ce que je devrais être excité?

— Bien sûr, réplique-t-elle en fronçant les sourcils. Tout ça est caractéristique du XVIIe siècle. Les manches des ustensiles sont faits d'os ou de bois. Et la qualité de l'exécution ressemble beaucoup à celle de choses de la même période que j'ai vues au musée.

— Mais tu ne souris pas, fait remarquer Star.

— Ce sont des objets espagnols, fait-elle remarquer. Des crucifix, des médailles catholiques. Tu vois le casque? Ce motif-là était utilisé seulement en Espagne – y'avait des soldats sur les galions, qui faisaient pas partie de l'équipage. Les marins pouvaient pas se battre et les soldats pouvaient pas naviguer.

— Alors, c'est certain! s'écrie Dante. C'est un vrai bateau, avec un vrai trésor! J'espère seulement que Cutter a pas tout ramassé l'argent.

— Mais le manche avec les initiales JB vient de l'Angleterre, lui rappelle Adriana. Mon oncle l'a confirmé, et c'est un spécialiste des antiquités. Qu'est-ce qu'il faisait sur un galion espagnol?

Kaz hausse les épaules.

— Un Espagnol a acheté une canne anglaise, ou un fouet... en tout cas, quelque chose avec ce manche-là.

— Ou il pourrait l'avoir volé, ajoute Star.

— Peut-être, admet Adriana, comme à regret. Mais dans ce temps-là, tu pouvais pas simplement aller sur Internet et commander quelque chose à l'autre bout du monde. Et les coloniaux espagnols avaient pas le droit d'acheter des biens étrangers. Un artefact anglais sur un bateau espagnol... je sais pas. Ça me paraît louche. Y'a quelque chose qui nous échappe...

30 août 1665

La colonie de Portebello est en flammes. Les corps de ses soldats et de ses citoyens jonchent les rues en ruine.

Samuel erre dans le chaos sanglant. La lame de son épée, qui traîne derrière lui, fait jaillir des étincelles sur le pavé; il n'a pas la force de la soulever, et encore moins la volonté. Samuel Higgins a été kidnappé, enlevé à sa famille quand il avait six ans; il a connu une vie de privation et de tourments. Et pourtant, il ne s'est jamais enfoncé aussi profondément dans le désespoir. Il ne connaissait pas la mission réelle du Griffin *quand il s'est engagé. Même quand il a appris la vérité, il n'aurait jamais pu s'imaginer un tel déchaînement dans la torture et le meurtre.*

La mort dans l'âme, il s'éloigne de la destruction et se dirige vers la plage. Il n'a pas d'idée précise. Il va peut-être s'asseoir sur la plage et attendre la fin du cauchemar. Il n'a pas non plus rejeté l'idée de marcher droit dans la mer, jusqu'à ce que l'eau bleue l'avale pour toujours.

Puis son dos explose de douleur. Il tombe dans la rue, attendant la mort. C'est sûrement une balle de mousquet qui l'a atteint. Il se retourne, s'attendant à voir un soldat espagnol en train de recharger son arme. Mais il aperçoit plutôt la grande silhouette du capitaine James Blade, qui enroule son fouet en cuir. Incrustée dans le manche, une émeraude de la taille d'un œuf de merle étincelle cruellement au soleil.

— Tu t'en vas quelque part, le mousse?

Comprenant dans quel pétrin il s'est mis, Samuel sort de sa torpeur. Partir en plein cœur d'une bataille est une désertion – un crime qui mène tout droit à la potence.

— Capitaine, dit-il d'un ton suppliant, qu'est-ce que je peux faire pour vous aider dans cette bataille-là – un mousse qui peut même pas soulever son épée?

— Je vais moi-même te tuer si tu manques encore une fois à ton devoir! le menace Blade.

Il se penche, saisit une poignée des cheveux bruns rebelles de Samuel et remet le garçon sur ses pieds.

— Ces maudits véreux t'appellent Le Chanceux. Qu'ils aient raison ou non, quand ils te voient, ça leur donne du courage. Alors, ils vont te voir!

Samuel doit donc se traîner, avec son épée, jusqu'au champ de bataille.

Un coup de mousquet lui parvient de la ruelle, derrière les maisons des marchands. Une balle de plomb atteint le mur de pierre de l'église et manque Samuel de peu. Terrifié, il fait le tour du bâtiment en courant et s'arrête brusquement. Là, devant lui, se tient un capitaine de la garnison espagnole.

L'officier brandit une forte-épée à deux tranchants et se prépare à asséner au mousse un coup qui va le scier en deux. Samuel soulève sa propre épée, dans une piètre tentative pour se protéger de l'attaque. Il ferme les yeux en attendant que tout soit terminé.

Tout à coup, des tambours au loin résonnent dans la ville en feu; c'est le signal du cessez-le-feu. La garnison de Santiago annonce la capitulation des Espagnols.

52

Portebello est vaincu.

Et le jeune Samuel Higgins est toujours aussi chanceux.

CHAPITRE HUIT

Le lendemain matin, le déjeuner se compose de lait en poudre et de rôties au beurre d'arachide. Après avoir passé par le sas pour en donner une portion au scientifique, toujours dans la chambre de décompression, les stagiaires s'habillent et retournent au site de l'épave.

Cette fois, ils font bien attention de se tenir à une distance sécuritaire. Aussitôt que l'eau devient brouillée et qu'ils entendent le grondement de la suceuse à air, ils vont se cacher derrière une arête de corail. Ils attendent là en n'observant rien d'autre que des tourbillons de limon, jusqu'à ce que leur réserve d'air commence à s'épuiser.

De retour à l'HASP, ils constatent qu'Ocasek n'est plus en décompression; il a fait ses bagages et est prêt à retourner à la surface.

— Je viens de parler à l'équipe en haut, leur dit-il. Jennifer Delal va descendre dans quelques heures. Elle est en train de ramasser des échantillons d'algues sur le récif.

— On a un cadeau d'adieu pour vous, annonce Star.

Elle sort de son sac en mailles une énorme conque mesurant près de soixante centimètres.

— Pour préparer du maïs soufflé, ajoute Kaz. Au cas où vous auriez faim en haut.

Le scientifique est impressionné.

— Wow! C'est une merveille! Vous allez me manquer les jeunes.

Ils le regardent, par le hublot, sortir du sas partiellement immergé. Le coquillage sous son bras est plus gros que le sac étanche contenant tous ses effets personnels pour un séjour de deux semaines. Il lance un dernier morceau de sandwich à sa murène adoptive et disparaît en haut du câble d'arrimage. Un bateau attend à la bouée d'équipement de vie de l'HASP pour le ramener au plus vite à son laboratoire, où il devra ramasser les débris et s'occuper des expériences qui ont explosé.

À la station, le temps est long. Écœurés de manger du beurre d'arachide, les jeunes essaient de faire du bœuf Stroganoff lyophilisé qu'ils ont trouvé dans le garde-manger. Mais Kaz oublie d'ajouter l'eau avant de le faire chauffer. Résultat : une fumée grise s'échappe du four micro-ondes et déclenche les détecteurs à la surface.

— Ne vous inquiétez pas, dit la voix amusée du technicien, dans le haut-parleur d'urgence fixé au mur. L'habitat a des laveurs d'air qui vont enlever la fumée automatiquement. Oubliez le canard à l'orange, O.K.?

— C'était du bœuf Stroganoff, souligne Kaz.

— Écoutez, personne ne descend dans l'HASP pour sa haute cuisine, leur déclare l'homme. Ne bougez pas jusqu'à ce que Jennifer Delal arrive, compris?

Il coupe la communication.

— Et le poisson? demande Dante. C'est de la bouffe, non? On s'étouffe à manger du beurre d'arachide alors que, de l'autre côté de notre fenêtre, il y a un buffet de fruits de mer à faire rêver.

— Tu penses que tu pourrais ouvrir un poisson avec un couteau sans t'évanouir? demande Star en lui riant au nez.

— Ça m'est arrivé une fois, raconte Adriana. En fait, c'était dans un centre de villégiature, et c'est le personnel qui a sorti les entrailles et nettoyé le poisson. Mais je les regardais faire.

Les jeunes se préparent à une longue attente dans l'espace exigu. L'eau de l'autre côté du hublot passe du bleu au noir, à l'approche de la nuit. Il n'y a toujours aucun signe de Jennifer Delal.

Adriana saute sur ses pieds.

— J'appelle en haut.

— Ils vont encore nous dire de pas bouger, lance Star en l'attrapant par le bras.

— C'est en plein ce qu'on fait, reconnaît Kaz. Alors, qu'est-ce qui se passe?

— Elle a probablement décidé d'attendre à demain matin, et ils ont oublié de nous le dire, observe Star. Ce qui veut dire qu'on va rester ici toute la nuit et manquer la seule chance qu'on a de voir ce qui se passe au site de l'épave quand Cutter est pas là.

Dante la dévisage.

— Tu parles de plonger la nuit? Maintenant? Quand on est tout seuls?

— Tu penses qu'un scientifique pourrait nous aider si on rencontrait Clarence là-bas? fait remarquer Kaz.

— Est-ce que c'est censé me rassurer? demande Dante.

Star arpente l'étroit couloir. Le manque d'espace accentue sa démarche boiteuse.

— On va attendre jusqu'à minuit, décide-t-elle. Après, on plonge... avec ou sans Jennifer Delal.

À vingt-trois heures cinquante-cinq, toujours pas de signe de la scientifique. Les quatre jeunes s'habillent et enfilent l'équipement encombrant à deux bouteilles.

Le voyage de quinze minutes jusqu'au site devient familier, se dit Adriana, cramponnée au guidon de son scooter sous-marin. Il y a la tête de corail qui lui rappelle la Tour Eiffel et la colonie d'anémones à tentacules qui ressemble à un champ de fleurs bleu poudre. Plus loin, sa lampe frontale illumine le « homard éponge », une gigantesque éponge rouge qui sert de cachette à de nombreux homards sans pinces.

Je commence même à reconnaître les poissons. La pensée semble insensée. Et pourtant, non... voilà le barracuda auquel il manque la moitié supérieure de sa queue en forme de croissant. C'est excitant, presque autant que de rencontrer une vieille connaissance.

Je me demande s'il nous reconnaît aussi – « Eh! Encore ces bons à rien sur des scooters de plongée. Personne leur a montré à nager? »

Quand ils atteignent le site de l'épave, Adriana redevient sérieuse. Elle travaille inlassablement, remplissant son sac jusqu'à ce qu'il soit plein à craquer d'artefacts incrustés de corail. La passion qu'elle met à l'effort ne la surprend pas; elle adore ces choses-là. Mais elle est stupéfaite de constater avec quel enthousiasme les autres travaillent. C'est un travail pénible, même sous l'eau, où les blocs de calcaire pèsent beaucoup moins que sur la terre ferme. À un tel niveau d'épuisement, un plongeur aspire l'air deux fois plus vite et bientôt, Star lui tape sur l'épaule. Leur bouteille supplémentaire est à moitié pleine. Il est temps de retourner à l'HASP.

Le voyage de retour est agréable, même s'ils sont exténués. Leur scooter avance un peu plus lentement, à cause du poids des sacs débordant d'artefacts.

Tandis qu'Adriana glisse à travers l'eau noire dans son cône de lumière, son esprit s'amuse paresseusement à essayer d'élucider le mystère du naufrage. Un vaisseau espagnol, c'est presque certain. Peut-être même un de ces légendaires galions transportant des trésors – l'époque semble la bonne. Mais où est le trésor? Cutter ne peut pas avoir trouvé tout le butin. Le *Ponce de León* coulerait s'il était chargé d'autant d'argent et d'or. Et que fait le manche en os dans tout ça?

Peut-être que je me fais une montagne avec un rien. Elle sait, par exemple, que les canons anglais étaient chose courante sur les navires étrangers. Est-ce vraiment si bizarre qu'un Espagnol ait fait l'acquisition d'un objet qui avait déjà appartenu à un Anglais, dont les initiales étaient JB?

Quelque chose ne va pas. Elle peut voir Star, en avant, qui tourne en rond. C'est alors qu'Adriana se rend compte qu'elle n'a remarqué aucun des repères habituels sur le chemin du retour. Elle jette un coup d'œil à sa montre de plongée. Ils sont en route depuis vingt minutes, peut-être plus. Ils devraient déjà être arrivés à l'habitat.

Cédant presque à la panique, elle constate qu'ils se sont perdus.

CHAPITRE NEUF

Adriana se met à fouiller frénétiquement chaque recoin de son esprit, à la recherche de tout indice pouvant lui montrer où ils ont dévié de leur route. Ils ne savent pas trop comment, mais ils doivent avoir contourné le cercle de câbles de navigation qui s'étendent de l'HASP, comme les rayons d'une roue. Mais à quelle distance? Et dans quelle direction?

Star essaie de contenir la panique qui envahit le groupe. Elle fait de grands mouvements en direction de sa lampe frontale. Le message est clair : cherchez l'habitat, mais ne perdez pas de vue les lumières des autres.

Bon, se dit Adriana, *il te reste de l'air*. Ça, c'est si elle ne le gaspille pas en respirant trop vite. Ils reviennent sur leurs pas, quelques centaines de mètres en arrière, et balaient les ténèbres, fouillant le fond pour repérer les cordes blanches. Le rayon de la lampe d'Adriana projette un ovale spectral sur le récif, mais elle ne voit rien d'autre que du corail, des éponges et un poisson par-ci, par-là.

Où est-il, cet habitat?

Elle jette un coup d'œil rapide vers ses partenaires de plongée, qui sont maintenant des lueurs lointaines dans la noirceur. Comment pourra-t-elle faire signe aux autres si jamais elle trouve quelque chose? Est-ce qu'ils pourront l'entendre si elle pousse un petit cri aigu dans son détendeur?

Ça changera absolument rien parce qu'on aura pas besoin de crier si on trouve rien.

Elle peut sentir qu'il ne lui reste presque plus d'air. Elle respire sans difficulté, mais elle doit aspirer plus fortement. Un coup d'œil au manomètre lui coupe le souffle. Moins de 100 psi – à cette profondeur, trois minutes, maximum! Et elle halète, dévorant le peu qui lui reste.

Un peu de contrôle!

C'est plus facile à dire qu'à faire. Elle se sent écrasée par la situation, comme si tout l'océan lui pesait sur les épaules. Elle ne peut pas s'élancer vers la surface, même si sa bouteille se vide complètement. Aucun d'entre eux ne le peut. Ça fait trois jours que les stagiaires vivent à vingt mètres sous l'eau. Leur corps est donc saturé d'azote dissous. Une montée rapide produirait des millions de minuscules bulles et transformerait leur sang en une mousse mortelle – un cas de bends si sérieux que personne ne pourrait y survivre. Au-dessus, il n'y a que la mort.

Mais je vais suffoquer!

Le visage tordu par l'horreur, elle fait volte-face pour avertir les autres. Dans l'océan noir, elle aperçoit deux zones lumineuses.

Deux?

À sa gauche, les lampes frontales des autres stagiaires sautillent. Mais, à droite, il y en a cinq autres qui arrivent à toute vitesse.

Une équipe de sauvetage?

Mais comment est-ce qu'ils ont su qu'on avait un problème?

Pour le moment, elle s'en soucie peu. Elle oriente son scooter vers les nouveaux arrivants et s'élance dans leur direction.

Tandis que la distance entre eux rétrécit, elle constate qu'elle ne se dirige pas vers un groupe de sauveteurs, mais bien vers un seul plongeur.

C'est Jennifer Delal! Elle est venue après tout! Et quand elle s'est aperçue qu'on était pas dans la station, elle est partie à notre recherche!

Le nouvel aquanaute porte une lampe frontale et a attaché des torches portatives à ses chevilles et à ses poignets afin d'attirer leur attention dans la mer sombre. D'après le souvenir qu'elle a de la scientifique, Adriana ne la croyait pas aussi grande – c'est probablement à cause de l'effet grossissant de l'eau.

Adriana prend une respiration superficielle et douloureuse dans son embout. Son manomètre indique zéro. Elle inspire encore...

Rien! La terreur lui tord les tripes. La bouteille est complètement vide!

En deux puissants battements de jambes, l'aquanaute la rejoint. Des citernes latérales sont fixées à ses bras et ses jambes. Des mains attachent avec assurance un de ces cylindres au détendeur d'Adriana.

De l'air! Elle ne se rappelle pas avoir jamais goûté quelque chose de meilleur que la saveur fortement métallique de cette première inhalation d'air comprimé.

— Merci! lance-t-elle en haletant dans son embout.

Son sauveteur s'est déjà élancé vers les trois autres stagiaires. Adriana part à sa suite. Même sur son scooter, elle a du mal à suivre les battements puissants des jambes de la scientifique.

Kaz commence à paniquer, son approvisionnement en air diminue. Dante, qui n'a déjà plus d'air, respire en copain le peu qui reste à Star. Adriana observe leur sauveteur distribuer les citernes latérales.

La vérité est si horrible qu'elle en a la nausée. Mais c'est indéniable : si la remplaçante d'Igor Ocasek était restée en haut jusqu'au matin, ils seraient tous morts.

C'est une équipe éprouvée et crevée qui suit le sauveteur jusqu'à l'HASP; la terreur s'est évanouie pour laisser place à l'épuisement. Adriana a à peine la force de se hisser, et de porter son scooter et son sac de plongée plein à craquer en haut de l'échelle, pour se rendre dans le sas partiellement immergé.

Elle s'écroule sur le grillage de plastique, luttant contre une envie irrésistible de pleurer de soulagement.

— Madame Delal, parvient-elle à dire, trop faible pour retirer son équipement, je sais pas quoi dire.

On entend un grognement familier qui ne vient certainement pas de quelqu'un qui s'appelle Jennifer. Le masque se soulève et révèle le visage de leur sauveur.

C'est l'Anglais.

Les yeux noirs et enflammés de Menasce Gérard les foudroient de rage et de mépris.

— C'est vous! s'exclame le guide de plongée. Tout ce qu'on m'a dit, c'était que Jennifer était malade et que je devais me rendre à l'HASP à sa place. Si j'avais su que c'était vous, j'aurais dit non.

— Ben, on est vraiment contents que vous ayez décidé de venir, fait Kaz d'une voix tremblante. Je sais pas ce qui est arrivé, mais on pouvait pas trouver les cordes de navigation.

— On a fait une gaffe, admet Star, c'est aussi simple que ça. On aurait pu mourir. En fait, on serait morts, ajoute-t-elle en avalant avec difficulté.

L'Anglais ne montre aucune sympathie.

— Si vous arrêtez de faire des bêtises, vous n'aurez pas de problèmes! La plongée de nuit, ce n'est pas pour des enfants de la maternelle. C'est une question de prudence – vous avez peut-être déjà entendu ce mot-là?

— On s'excuse, marmonne Kaz.

— Je ne suis pas Superman, moi! Je ne peux pas toujours être là quand vous jouez aux dés avec vos vies. Et pour quoi?

Il jette un regard dégoûté sur le sac en mailles d'Adriana et aperçoit les morceaux de corail, mais pas les artefacts qu'ils cachent.

— Pour des roches. Vous êtes cinglés!

Il retire son équipement de plongée et s'engouffre en ouragan dans le sas pressurisé.

Dante place ses bouteilles sur le casier marqué VIDE, à côté du compresseur.

— Je me trompe peut-être, mais on dirait qu'il est là

chaque fois qu'on a l'air de vrais idiots.

— Tu peux en remercier le ciel, répond Kaz avec émotion. Ça fait combien de fois qu'il nous sauve la vie?

Adriana retire ses palmes.

— Est-ce que vous pensez qu'il a raison? Est-ce que plonger la nuit est trop risqué?

Star secoue la tête avec véhémence.

— On était seulement trop sûrs de nous, c'est tout. On l'a fait sans problème quelques fois et après, on a pas fait assez attention.

— Au fond de la mer, tu peux te tromper juste une fois, observe Dante.

Star hoche la tête d'un air grave.

— T'as raison. C'est ma faute et ça se produira plus. L'Anglais a raison aussi. Il sera pas toujours là pour nous aider.

— Je préfère qu'il soit jamais là, lance Dante d'un ton geignard. C'est pas que je sois pas reconnaissant, mais il nous déteste.

— Il nous déteste pas, soutient Star.

— Va lui demander! insiste Dante. Il essaie même pas de le cacher.

— On va s'ôter de son chemin, dit Adriana pour le calmer.

— Ici? s'écrie Dante d'une voix aiguë. Le gars occupe la moitié de la station! On serait encore dans son chemin, même si on rapetissait et qu'on avait la taille de poupées Barbie! Il faut pas se le cacher... on est coincés dans une boîte à sardines sous-marine, avec un géant antipathique.

CHAPITRE DIX

Menasce Gérard observe, par le hublot, les quatre stagiaires qui s'éloignent de la station en glissant avec aisance sur leur scooter. Il prend bien note de la direction des bulles qu'ils laissent derrière eux, juste au cas où il devrait encore aller les secourir.

Il renifle bruyamment. L'Anglais est le meilleur plongeur d'une île remplie de plongeurs talentueux. Son travail sur les plates-formes pétrolières est difficile et dangereux; il exige énormément de force et de compétences à des profondeurs et des pressions vertigineuses. Pourquoi est-ce qu'un homme comme lui doit jouer la nounou pour une bande d'adolescents américains gâtés?

Il fait demi-tour et s'éloigne du hublot. Avec un bruit sec, sa tête fracasse l'ampoule nue suspendue au plafond bas. *Mon Dieu!* Cet habitat n'a pas été construit pour un homme de sa taille! Ce sont les stagiaires qui l'ont conduit à ce donjon sous-marin. *Merci beaucoup.*

Après avoir frotté ses courts cheveux pour en enlever les débris de verre, il remarque du rouge sur ses doigts. Il se met à fouiller dans les armoires en acier inoxydable pour trouver un pansement adhésif. S'il y a une chose dont un plongeur n'a pas besoin, c'est une coupure exposée, car la moindre odeur de sang dans l'eau peut attirer les requins.

Un morceau de corail s'échappe de l'armoire et tombe à ses pieds. Ah, oui – des souvenirs de la nuit dernière. Puis il remarque l'ustensile ancien qui dépasse du petit bloc. Il examine les autres objets qui se trouvent dans le casier, étonné de voir tous ces artefacts. Ces adolescents ont trouvé quelque chose! Quand vont-ils arrêter de faire des bêtises?

Quelques minutes plus tard, il est déjà en train d'enfiler sa combinaison de plongée. Il choisit un scooter sur le support, descend sur le premier barreau de l'échelle et disparaît dans l'eau.

Les stagiaires coupent l'alimentation de leur scooter et s'arrêtent à côté du cratère de corail fracassé, le site de l'épave.

Où est passé la tempête de limon? Et surtout, où sont Reardon et les ravages contrôlés de la suceuse à air?

Où est le *Ponce de León*?

Star gonfle son gilet stabilisateur et remonte à douze mètres – le plus haut qu'elle ose aller sans risquer le mal de décompression. Des rayons de soleil découpent l'eau turquoise et elle arrive à distinguer la houle à la surface. Le bateau de Cutter n'est plus là.

Après avoir tâtonné dans le noir total et rôdé avec des lampes frontales, ils ont presque l'impression d'avoir reçu une promotion. Bientôt, ils cueillent des artefacts plus vite qu'ils ne l'ont jamais fait, en profitant de l'excellente visibilité et de la lumière naturelle.

Les yeux perçants de Dante distinguent un contour arrondi. Le photographe retire prestement un plat de service en étain des débris et le fourre dans son sac. C'est une belle trouvaille – la meilleure de la journée, jusqu'à présent. Mais Dante n'est pas satisfait.

Où est l'argent?

Un galion espagnol – le type d'épave le plus riche au monde. Et qu'est-ce que les stagiaires ont réussi à récupérer jusqu'à maintenant? Des assiettes. Des tasses. Des cuillères. Qu'est-ce qu'ils sont censés faire avec ça, inviter des amis à prendre le thé?

Il comprend la valeur archéologique de ces objets, bien sûr. C'est comme une fenêtre ouverte sur le passé, trois cents ans en arrière, peut-être plus.

L'archéologie. C'est le dada d'Adriana. Dante grogne dans son masque – c'est facile pour elle de ne pas penser à devenir riche. Elle l'est déjà, ou du moins, sa famille l'est. Dante, lui, pourrait bien avoir besoin de cet argent un jour. La photographie ne paie probablement pas bien – la photographie en noir et blanc, en tout cas. Et il est condamné à cette spécialité.

Mais avec le trésor, ou une partie du trésor, il n'aurait plus à s'inquiéter.

Il s'éloigne du site de l'excavation en battant des jambes et examine les lieux. Cherchent-ils à la mauvaise place? Les galions étaient gros, non? Peut-être qu'ils sont en train de creuser à l'autre bout de l'épave, pas du tout au bout où le trésor avait été entreposé. Ils pourraient être en train de récupérer des objets provenant d'un genre de cafétéria du XVIIe siècle, alors que des millions de dollars en argent, en or et en bijoux reposent à quelques mètres de là.

Mais où? Et si le trésor est enseveli sous le corail, comment pourront-ils réussir à l'atteindre? C'est Cutter qui a la suceuse à air et la dynamite. Cutter a un bateau qui peut, avec son treuil, remonter des ancres et des tubes de canon à la surface.

Il fixe des yeux la surface rocailleuse du récif, étudiant chaque bosse, chaque contour. Il doit bien y avoir un signe, un indice qu'une forme fabriquée de mains d'homme est enfouie dans le calcaire vivant.

Il ne trouve rien.

Il bat des pieds et passe à travers le brouillard que les efforts des autres soulèvent, pour se rendre à l'extrémité du site. Là, le corail fait place à du sable et de la boue.

Bon, ici, c'est plus facile de chercher.

Il dégonfle son gilet, se laisse tomber à quatre pattes sur le fond marin et commence à creuser. Il est presque immédiatement perdu dans son propre nuage de limon. Tandis qu'il s'active, il se dit que, s'il a pensé à regarder ici, Cutter a probablement eu la même idée.

Épuisé, et aspirant bien trop d'air, il s'assoit par terre et prend une pose typique de la terre ferme; les coudes sur les genoux et le menton reposant sur ses jointures.

Au fur et à mesure que le limon disparaît et que l'eau brouillée s'éclaircit autour de lui, l'image se précise graduellement. La surprise le fait cligner des yeux.

Il a toujours imaginé le haut-fond comme une vaste plaine, mais ici, ça ressemble davantage au flanc d'une montagne. Pas très loin du site de l'épave, le fond marin s'incline brusquement; la pente est si abrupte que Dante ne peut pas voir le fond.

C'est ici que les hauts-fonds cachés s'arrêtent. Un peu plus loin, ça doit être très profond.

Il augmente sa flottabilité, s'élève et scrute l'abysse. Tandis qu'il flotte dans l'eau claire, la pente qui descend lui apparaît soudain clairement. C'est alors qu'il l'aperçoit.

C'est loin sur la pente, en plein où les rayons de soleil s'épuisent et succombent à la noirceur permanente des profondeurs. Il peut tout juste distinguer l'ombre de...

De quoi?

Il ne sait pas trop. Mais il y a quelque chose, c'est certain. Des objets à moitié ensevelis, éparpillés le long de la pente comme s'ils avaient rebondi et tombé de la boîte d'un camion qui s'enfuyait.

Est-ce que ça pourrait être le trésor?

Si seulement je pouvais m'approcher un peu...

Dante bat des palmes jusqu'aux limites du plateau, puis change d'angle et descend parallèlement à la pente. Il expulse un peu d'air de son gilet pour faciliter la descente et concentre toute son attention sur les débris qu'il distingue à peine, très loin en bas.

Quand quelqu'un le tire par la cheville, il glapit dans son détendeur, craignant qu'il s'agisse des mâchoires d'un monstre sous-marin préhistorique. Non, c'est un autre plongeur qui agite un index réprobateur.

Star?

Il jette un coup d'œil dans le masque du nouvel arrivant et a un mouvement de recul, tant il est saisi. Oh non! C'est l'Anglais cramponné à un scooter! Le guide a dû les suivre. Ils sont faits.

Dante lève un doigt – une minute.

L'Anglais secoue la tête avec véhémence. Il sort son ardoise et griffonne : TROP PROFOND.

Les aquanautes de l'HASP sont censés maintenir une profondeur variant entre douze et vingt-cinq mètres. Dante regarde son profondimètre. Presque vingt-huit.

Mais il faut que j'aille voir!

Dante pivote et continue sa descente. L'Anglais réagit promptement. Il laisse tomber le scooter, plonge en avant et s'accroche au torse mince du garçon. Dante roule pour se libérer. Tandis que l'Anglais lutte pour ne pas lâcher prise, il arrache accidentellement la ceinture lestée du garçon.

Dante, qui peut soudain flotter, remonte vers la surface à toute vitesse. Désespéré, il tâtonne pour dégonfler son gilet et ainsi ralentir sa montée, mais il ne peut pas trouver la valve.

Si je remonte à la surface maintenant, sans décompression, le mal des caissons va me tuer!

Le gant de l'Anglais surgit de nulle part et agrippe sa cheville avec force. Enfin, Dante réussit à vider son gilet. Maintenant que sa flottabilité est neutre, il s'accroche au bras du guide et ne lâche pas prise.

La ceinture de plombs flotte jusqu'à la pente sablonneuse.

Clang!

Le son, qu'il est impossible de confondre avec d'autres, résonne sous l'eau, portant beaucoup mieux qu'il ne le ferait dans l'air.

Un instant. Des plombs qui tombent sur du sable mouillé, ça résonne pas.

L'Anglais a entendu, lui aussi. Les deux plongeurs descendent jusqu'à l'endroit où repose la ceinture. Le guide enlève une de ses palmes, et s'en sert pour creuser dans la boue et le limon.

Dante aperçoit tout de suite l'objet sombre. Il est juste sous le sable, à peine enfoui. Ensemble, ils l'arrachent du haut-fond, puis l'Anglais le soulève dans ses bras. Il a environ la taille d'un abat-jour; et la rouille l'a assombri et rongé à une demi-douzaine d'endroits. Mais il n'y a aucune doute : c'est une cloche en laiton.

La pensée lui traverse l'esprit immédiatement : il faut qu'Adriana voie ça. Les anciens navires avaient des cloches, n'est-ce pas? Adriana va savoir si ça appartenait à un galion espagnol.

Un large sourire efface l'air renfrogné habituel de l'Anglais. Il se penche et remet à Dante sa ceinture lestée. Dante la rattache, et les deux s'éloignent en battant des jambes à l'unisson, tenant la cloche entre eux, comme un trophée.

Le sourire du guide disparaît lorsqu'ils atteignent le sommet de la pente. Il vient d'apercevoir les trois autres stagiaires, qui s'affairent à ramasser des artefacts dans le récif en ruine. Ceux-ci lèvent la tête au moment où il s'approche, comme s'il leur avait transmis sa colère par télépathie.

Fulminant, l'Anglais passe la cloche à Dante et se précipite vers le récif pour examiner les dégâts. Le bruit que fait son crayon sous-marin sur son ardoise résonne comme des coups de feu.

VOUS AVEZ FAIT ÇA?

Kaz crie son innocence et s'étouffe avec de l'eau salée.

Ils sont complètement innocents, mais comment expliquer toute l'histoire ici, quand il est impossible de mettre plus d'une syllabe ou deux ensemble?

Star sort son ardoise et écrit un seul mot : CUTTER.

L'expression dure de l'Anglais leur montre qu'il ne la croit pas.

À cet instant, toute explication devient inutile. À la surface, vingt mètres au-dessus de leur tête, une forme sombre se met en place. Quelques minutes plus tard, une ancre descend et se pose sur le récif, à quelque dix mètres du groupe.

Le *Ponce de León*.

Les quatre stagiaires récupèrent leur scooter et s'éloignent en ronronnant pour se rendre jusqu'à l'arête de corail qui leur a déjà servi de cachette. l'Anglais les suit, mais sans quitter des yeux l'ombre du navire de recherche au-dessus d'eux.

De leur abri, ils observent deux silhouettes sombres qui descendent à travers la lumière filtrée du soleil – des plongeurs portant des bottes lestées, au lieu de palmes. Chris Reardon et Tad Cutter. À la place du long tube en forme de serpent de la suceuse à air, chaque homme transporte un objet qui ressemble à une arme futuriste reliée à la surface par un boyau.

Kaz écarquille les yeux. Qu'est-ce que c'est? Des charges d'explosifs? Des fusils-harpons? Il n'a pas à attendre longtemps. Dès que les bottes de Reardon se posent au fond avec un bruit sourd, le chasseur de trésor place la lame de quinze centimètres contre le récif encore intact, sur le bord de l'excavation. Avec un grondement monstrueux, l'appareil se met à broyer le corail pour le réduire en mille miettes.

Kaz en reste bouche bée. Un marteau-piqueur! Ils élargissent la zone de fouille!

La machine de Cutter se met en marche avec fracas et s'attaque à l'autre côté de l'entaille. En quelques secondes, les deux chasseurs de trésor ont disparu dans un énorme nuage de limon et de corail réduit en poudre.

Bientôt, les stagiaires ne peuvent plus rien voir. Mais il ne fait aucun doute que l'opération suit son cours. On dirait que la vibration des marteaux-piqueurs déchire l'étoffe même de l'océan. Et ce n'est rien en comparaison des vibrations d'indignation qui émanent de Menasce Gérard. Pour un natif de l'île, cette destruction gratuite du récif vivant n'est rien de moins qu'un crime contre la nature. Ça lui prend tout ce qu'il a de contrôle sur lui-même, une maîtrise acquise quand on a plongé toute sa vie, pour s'empêcher de les attaquer physiquement.

Star comprend son agitation. Elle griffonne sur son ardoise et la lui tend :

CHASSEURS DE TRÉSOR.

L'Anglais, le regard fulminant sous son masque, montre Dante tout à côté qui tient toujours la cloche dans ses bras. Leurs sacs de maille sont honteusement bombés. En percevant l'ironie de la situation, Kaz en a presque le souffle coupé. *Si c'est Cutter qui est chasseur de trésor, pourquoi est-ce que nous, on a tout le trésor?*

L'Anglais finit par dominer sa colère. Il pointe son scooter en direction de l'HASP et leur fait signe de le suivre.

Ils ne sortent du nuage soulevé par les marteaux-piqueurs qu'une fois le tiers du chemin parcouru.

Des voix anxieuses retentissent dans le sas partiellement émergé.

— On a rien fait au corail! s'exclame Star, qui plaide leur cause. Cutter l'a brisé avec de la dynamite! On faisait juste fouiner dans les alentours.

— Ça a jamais été un vrai stage, poursuit Kaz, toute l'affaire était un écran de fumée, pour cacher le fait qu'ils étaient en train de chercher une épave.

— Et ils l'ont trouvée, ajoute Dante. En fait, c'est moi qui l'ai trouvée. Mais ils l'ont volée. Et maintenant, ils creusent la moitié de l'océan pour trouver le trésor.

— C'est la vérité, M. l'Anglais, lance Adriana avec ardeur, que vous nous croyiez ou non.

— Je vous crois, déclare le guide d'un air grave.

Ils sont muets d'étonnement. Ils n'auraient jamais cru que Menasce Gérard les croirait sur parole.

— Oh, fait Kaz, surpris. Super. Alors, qu'est-ce qui va arriver, maintenant?

Le géant fait comme s'il n'avait rien entendu. Il retire sa cagoule et vérifie que le pansement sur sa tête est toujours en place.

Dante prend la parole.

— Vous savez ce que je veux dire... Qu'est-ce qu'on va faire? Comment on fait pour arrêter Cutter?

L'Anglais hausse des épaules si massives qu'elles cachent complètement l'écoutille étanche menant au sas d'entrée.

— Ce n'est pas mon boulot de sauver le monde.

— Vous voulez dire que vous allez les laisser tout voler? proteste Dante.

L'Anglais soulève deux sourcils expressifs.

— Est-ce que le fond de l'océan m'appartient?

— On pourrait pas au moins appeler la police? demande Star. Le récif est protégé et ils l'ont détruit. Ils sont en train de le briser!

— Les poulets, dit l'Anglais en émettant un rire forcé. Vous parlez de sept hommes de Saint-Luc qui font de l'asthme. Ils ne peuvent pas plonger; alors, ils sont policiers.

— Et le gouvernement? lance Adriana.

— Le gouvernement est à douze mille kilomètres, à Paris. Le magistrat local est en Martinique et ne verrait pas la différence entre corail et chorale.

Il les regarde dans les yeux bien franchement.

— Bon, je suis d'accord avec vous. C'est un gaspillage terrible! Mais ça ne me regarde pas. Je suis un plongeur. La justice, ce sont les autres qui s'en occupent. Un juge, peut-être.

Dante soulève la cloche.

— En tout cas, voici une chose que Cutter pourra pas avoir. Qu'est-ce que t'en penses, Adriana?

Celle-ci prend la cloche. Elle est plus lourde une fois sortie de l'eau, et pèse autant qu'une petite télévision.

— C'est bien la cloche du bateau. On peut essayer d'enlever un peu de rouille. Je pense que ces choses-là étaient gravées. On va peut-être pouvoir identifier le bateau.

— Pour quoi faire? grommelle Dante. Pour que Cutter sache à qui appartenait l'or avec lequel il s'enrichit?

— Pour sa valeur historique, insiste Adriana. On sait que les artefacts sont espagnols. Peut-être que le gouvernement espagnol a des archives sur Internet qu'on peut consulter. Elle se tourne vers l'Anglais.

— Qu'est-ce que vous en pensez?

— Pourquoi est-ce que tu me regardes? dit le guide de plongée, presque sur la défensive. Qu'est-ce que je connais, moi, des trésors espagnols? Un Français qui se fait appeler l'Anglais.

Les stagiaires sont pris par surprise. C'est presque une blague! De l'humour de l'implacable Menasce Gérard. Ça semble impossible.

— Vous nous avez jamais expliqué ça, risque enfin Star. Je veux dire, d'où vient votre nom...

— Exactement, approuve l'Anglais. Je ne vous l'ai jamais expliqué.

Il se retourne pour enlever sa combinaison. Et pendant un instant, on pourrait penser que la discussion est close. Puis le géant reprend la parole.

— Mon ancêtre était anglais, dit-il, le dos toujours tourné. Du naufrage.

— Vraiment? Adriana est impressionnée. Ça fait combien de temps?

Encore le fameux haussement d'épaules.

— Ce sont peut-être des sornettes. Une rumeur qui circule dans la famille. Ici, dans les Antilles, beaucoup de bateaux ont coulé au cours des années. Tout le monde croit que son ancêtre a navigué avec Christophe Colomb.

Kaz regarde l'Anglais attentivement.

— Je sais que vous nous aimez pas parce qu'on appartient pas à l'institut. Mais peut-être que vous comprenez maintenant que c'est pas notre faute. On a pas toutes les qualifications nécessaires, parce que c'est ça que Cutter voulait. Il nous a choisis parce qu'on est pas des bons plongeurs, et il a pris Star parce qu'il pensait qu'elle serait handicapée.

Le guide lance sa combinaison sur le support égouttoir.

—Vous vous améliorez, dit-il, avant de se pencher pour passer par l'écoutille étanche, les laissant seuls.

78

Les quatre stagiaires se regardent. D'abord, de l'humour, et maintenant, ça. Est-ce que l'Anglais leur a vraiment dit quelque chose de gentil?

CHAPITRE ONZE

La cloche du vieux bateau, après plus de trois siècles passés au fond de la mer des Caraïbes, repose maintenant dans un bain de verre et trempe dans une solution légèrement acide. À l'autre bout du laboratoire situé dans le sas d'entrée de l'HASP, Adriana martèle le clavier à la recherche d'indices qui lui permettraient d'identifier le mystérieux galion.

Les listes et les numéros qui défilent à l'écran l'ébahissent. Le site Web est exploité par le gouvernement espagnol. Il comprend des archives complètes au sujet de chaque navire qui est arrivé au pays ou qui l'a quitté, y compris sa cargaison. Il y a là des manifestes de passagers et des lettres de transport qui remontent au XVe siècle.

Si cette épave est bien ce qu'on pense qu'elle est, elle doit être ici, quelque part, se dit Adriana.

À l'extérieur, près du hublot à son épaule, une chasse aux homards bat son plein. L'Anglais a emmené Star, Kaz et Dante à la recherche d'un souper digne de leur dernière nuit à bord de l'HASP. Les fruits de mer sont au menu. Pas de beurre d'arachide.

Elle quitte sa chaise et s'agenouille devant la cloche. À l'aide d'une brosse souple au long manche, elle tapote doucement la couche de rouille qui recouvre le laiton. Des particules s'écaillent et un nuage brun rouge envahit le liquide.

Adriana plisse les yeux pour mieux examiner la surface tachetée. Est-ce qu'elle devient vraiment plus propre ou est-ce Adriana qui est en train de prendre ses désirs pour la réalité? Elle distingue vaguement des lettres gravées, mais elles ne sont pas assez claires pour qu'elle puisse lire.

Elle lève les yeux. À l'extérieur du hublot, Dante a coincé un homard sans pinces dans la crevasse d'une roche et essaie de l'attirer.

— Reste-là, petit homard, conseille-t-elle à la créature, il veut te faire cuire.

Elle rit avec embarras en constatant qu'elle a parlé à voix haute.

Dante est allongé sur les roches; sa tête presque complètement enfoncée dans l'ouverture. Au moment où il allonge le bras pour attraper le homard, une ombre énorme l'enveloppe.

Adriana regarde, bouche bée. Une gigantesque mante arrive en battant des ailes pour jeter un coup d'œil au plongeur qui a la tête dans un trou. Paniquée, Adriana frappe sur la vitre avec ses deux poings, espérant que le bruit va porter dans l'eau. Dante l'a peut-être entendue parce qu'il émerge avec sa proie. Il aperçoit, au-dessus de lui, les ailes menaçantes, d'une envergure de six mètres, du diable de mer.

Adriana ne peut rien entendre, mais il est évident que Dante s'époumone. Il crache son détendeur et hurle tant que le nuage de bulles semble sans fin. Star et Kaz tentent de l'aider, mais Dante est hors de contrôle.

L'Anglais entre en scène; un flot de bulles s'échappant aussi de son masque. Adriana est saisie de peur. Le guide ne craint rien. Quel danger représente donc cette grosse bête, qui plane comme un engin extraterrestre?

Puis elle se rend compte que l'Anglais n'est pas terrifié; il rit.

Ils parviennent tant bien que mal à calmer Dante, qui est inconsolable : dans l'excitation, son homard en a profité pour prendre la fuite. Avec des signes, l'Anglais ordonne aux autres de le regarder. À leur grande stupéfaction, il grimpe sur le large dos de la mante.

Adriana écarquille les yeux derrière le hublot. Ses ailes magnifiques ondulant légèrement, le monstre reste là tout simplement et accepte qu'on le monte. Puis, sur un signe du cavalier, il s'élance et flotte gracieusement sur le récif en transportant l'Anglais, comme s'il était une sorte de jockey à lunettes. Ils disparaissent presque immédiatement de la vue d'Adriana, mais elle peut voir les autres qui observent le spectacle, visiblement impressionnés.

Elle fixe de nouveau son attention sur la cloche et lui donne un autre coup de brosse. La solution est de plus en plus embrouillée, à cause des particules de rouille qui se détachent. Il n'y a plus aucun doute : ce qui est gravé dessus commence à apparaître.

1! Mais non... il y a une barre en haut! *Alors, c'est*

un T! Elle tapote doucement mais fermement avec la brosse en se retenant de ne pas se mettre à frotter. Si elle abîme cet artefact, elle ne se le pardonnera jamais.

T-O-L-L – non, le deuxième L est un E!

À l'extérieur de l'habitat, la mante passe rapidement; cette fois, c'est Star qui est sur son dos. Qu'est-ce que c'est que ça? Un parc d'attractions? Tours de mante : cinquante cents?

Concentre-toi donc! Tu es si près du but!

Elle continue à tapoter doucement avec les poils souples; les lettres se dessinent plus clairement.

Un autre O. Non! C'est un D! T-O-L-E-D… ça ne peut être qu'un mot : Toledo!

C'est évident! Toutes les grandes ferronneries espagnoles étaient à Tolède! Cette cloche a été fabriquée là!

La découverte la met dans un tel état d'excitation qu'elle se met à danser dans la minuscule pièce. Mais elle retourne vite à la cloche. Il doit bien y avoir une date quelque part, et elle va la trouver.

Star, Kaz et Dante entrent dans le sas partiellement immergé en poussant des cris de joie et en se tapant dans les mains.

— C'était impressionnant! s'extasie Star. Comme chevaucher un ptérodactyle sous-marin!

— Il était pas du tout farouche! s'étonne Dante. Qui aurait cru que quelque chose d'aussi gros et d'aussi laid pouvait être si sympathique?

— Est-ce que c'est bien de parler ainsi de notre guide de plongée? fait Kaz en souriant à pleines dents.

— Tu comprends ce que je veux dire!

Soudain, Adriana apparaît dans le sas pressurisé, le sourire fendu jusqu'aux oreilles.

— *Nuestra Señora de la Luz*, lance-t-elle.

Les trois autres la fixent des yeux.

— Qu'est-ce que tu radotes? demande Star.

— C'est notre galion! Ça veut dire « Notre-Dame de la lumière ». Il a quitté Cádiz en 1648 et a disparu en mer en 1665, au cours de sa cinquième traversée de l'Atlantique!

— Ça dit tout ça sur la cloche? demande Dante, incrédule.

Star n'en revient pas.

— Des fois, tu poses des questions tellement stupides! Comment ça pourrait dire en quelle année ils ont coulé? Tu penses qu'ils auraient gravé ça pendant qu'ils étaient en train de couler?

— Il y a deux inscriptions, explique Adriana dans un souffle. Une dit « Toledo », ce qui veut dire que la cloche a été fabriquée dans une ferronnerie, là-bas. Et l'autre est « 1648 », l'année où elle a été coulée. J'ai vérifié les archives espagnoles. Sept galions ont pris la mer entre 1648 et 1650. L'un d'eux a brûlé dans le port en emportant le quai et la moitié de la ville. Un autre est exposé au musée maritime de Barcelone. Deux ont disparu en cherchant les Philippines, ce qui veut dire qu'ils sont à quinze mille kilomètres d'ici. Deux autres ont coulé dans des batailles navales au large de l'Europe. Il reste seulement le *Nuestra Señora de la Luz.* Il faisait partie de la flotte de 1665, qui transportait un trésor – le seul navire qui soit jamais rentré au port, ajoute-t-elle avec un frisson d'excitation. Selon le reste de la flotte, il aurait disparu dans un ouragan, dans les Antilles françaises – en plein par ici!

— Alors, c'est certainement celui-là! s'exclame Kaz.

— Et Cutter nous l'a volé, ajoute Star avec amertume.

— Attendez une minute! interrompt Dante en se tournant vers Adriana. Est-ce que t'as bien dit une flotte avec un trésor?

— Tu me croiras pas! s'écrie-t-elle, les yeux brillants. Le site Web montre les lettres de transport. Le *Nuestra Señora* était un Fort Knox flottant. Vous vous rappelez la pièce de huit qu'on a trouvée? Il y en avait sept cents, fraîchement frappées, en argent sud-américain! Il y avait des tonnes – des tonnes – d'or! Des coffres remplis de perles et de pierres précieuses! Aujourd'hui, la valeur totale de la cargaison est évaluée à 1,2 milliard de dollars!

Le cri de célébration que laisse échapper Dante est quasiment inhumain.

— Pourquoi tu t'énerves comme ça? demande Star. C'est un milliard de dollars, mais on a rien trouvé d'autre qu'un tas de cuillères et d'assiettes!

— Je pense que je sais où la vraie épave se trouve! dit Dante en bafouillant, tant il est excité. Si tu vas plus loin que le site de l'épave, le fond de l'océan descend vers les profondeurs. La cloche était au haut de la pente. Mais quand j'ai regardé, j'ai vu des choses éparpillées plus loin en bas, presque hors de vue. Le trésor est là! J'en suis convaincu!

Adriana a un air pensif.

— C'est possible, tu sais. Le *Nuestra Señora* a coulé pendant un ouragan. Des eaux déchaînées auraient pu en emporter la cargaison et la faire tomber des hauts-fonds.

— Il faut le trouver avant que Cutter arrive à la même conclusion! s'exclame Kaz.

— Je vois, dit une voix glaciale derrière eux.

Ils se retournent vivement. L'Anglais se tient dans l'écoutille étanche menant au sas partiellement immergé, le regard menaçant. De chaque centimètre de sa stature transpire son profond désaccord. Il lance un sac de plongée grouillant de homards vivants sur le comptoir en acier inoxydable.

— Alors, M. Cutter est le chasseur de trésor. Mais pas vous? Vous pleurez la destruction du récif, puis vous bavez en parlant d'or, comme de vulgaires voleurs de banque! Vous ne pouvez pas me tromper!

Star est véritablement affligée.

— C'est pas ça!

Mais l'Anglais reste de marbre.

— J'ai des oreilles, moi. Je ne suis pas stupide!

À la vitesse de l'éclair, il allonge le bras et repousse un homard qui essayait de s'enfuir du sac.

— Ramassez vos affaires. Après le souper, on s'en va dans la chambre de décompression. Ce sera la fin de notre association. Une fois à la surface, je ne vous connais plus.

Le homard est délicieux, mais les quatre stagiaires s'étouffent presque en le mangeant. Le cliquetis et le grattement de la coutellerie sur les assiettes résonnent dans la coquerie garnie d'acier. Il n'y a aucune conversation. Chaque fois que l'Anglais craque un morceau de carapace, son expression indique clairement qu'il préférerait que ce soit le cou de l'un d'eux.

C'est douloureux, mais pas autant que le séjour interminable dans la chambre de décompression. Il y a une petite bibliothèque, mais elle ne contient que des revues scientifiques. Chaque fois qu'un des adolescents prend la parole, le guide de plongée ne tarde pas à mettre fin à la conversation avec un regard qui ferait fondre la calotte polaire. Kaz tente de lancer une partie de jeux de mot, mais les trois autres sont trop intimidés pour poursuivre. Le sommeil se réduit à une poignée de petites siestes claustrophobes. Le plancher de métal fait mal, mais pas autant que les rayons laser jumeaux que lancent les yeux de l'Anglais.

Pendant dix-sept heures d'agonie, l'appareil les ramène à la pression de surface, en donnant à leur corps la chance d'expulser l'excès d'azote qu'ils ont absorbé pendant leur séjour à vingt mètres sous la mer.

Finalement, sans parler, ils rassemblent leurs minuscules valises, leurs sacs d'artefacts et la cloche du *Nuestra Señora*, puis ils se mettent à remonter le cordon ombilical menant à la bouée de soutien-vie de l'HASP. L'éclat du soleil ne leur a jamais semblé aussi accablant. Le *Hernando Cortés* les attend. Le capitaine Vanover se tient sur la plate-forme de plongée, prêt à les hisser à bord.

— Hé, les jeunes! Comment ça s'est passé? Iggy a dit que vous aviez beaucoup de plaisir!

Star retire ses palmes d'un coup de pied.

— Ouais, mais Iggy est parti, lance-t-elle d'un ton sarcastique.

— Hein? fait Vanover en fronçant les sourcils.

L'Anglais fait surface derrière eux, nage délibérément loin de la plate-forme, attrape le plat-bord avant et se hisse sur le bateau. Il retire sa cagoule et ses palmes, et se précipite en bas sans dire un mot à personne.

CHAPITRE DOUZE

Dire ou ne pas dire. Voilà la question.

Une chose est certaine : les stagiaires sont dans une impasse. Maintenant que leur séjour à l'HASP est terminé, ils n'ont plus accès au site de l'épave. Et ils n'ont absolument aucun moyen d'aller voir ce que Dante a aperçu, sur la pente qui descend profondément dans la mer, à côté des hauts-fonds cachés.

Le lendemain matin, dans le but de trouver un peu d'intimité, les quatre jeunes empruntent des vélos et prennent le chemin de terre qui relie les minuscules villages de Saint-Luc.

— On a besoin d'aide, conclut Kaz en appuyant son vélo contre un rocher. Et ça veut dire qu'il faut vendre la mèche. En qui est-ce qu'on a confiance?

Star émet un rire forcé.

— Ma mère, mais elle est pas ici.

— Y'a personne d'autre que le capitaine, soutient Adriana en mettant son vélo en équilibre sur sa béquille. L'Anglais nous déteste, Gallagher nous ignore, Cutter est l'ennemi et Marina est avec Cutter.

— On peut pas faire confiance à qui que ce soit, dit Dante sèchement. Pas avec un milliard de dollars.

— Alors, l'argent va rester au fond, réplique Kaz. On est pas plus avancés.

Dante plisse les yeux en regardant la vaste étendue d'eau qui est visible des hauteurs.

— Est-ce qu'on connaît vraiment bien le capitaine? C'est vrai qu'il est sympathique... et puis après? Il pourrait être un des complices de Cutter. Ou il pourrait utiliser nos renseignements pour s'acheter le droit de faire partie de l'équipe de Cutter.

— Peut-être, fait Star en hochant la tête, mais je le pense pas.

— Passons au vote, tranche Kaz. Qui veut qu'on mette le capitaine au courant?

Il lève la main. Adriana l'imite, ainsi que Star.

Dante est angoissé.

— Est-ce que vous vous rendez compte du nombre de zéros qu'il y a dans un milliard?

— Si t'es si bon en math, lance Star, alors tu dois savoir que t'as déjà perdu cette élection.

La main de Dante se lève péniblement pour se joindre à celles des autres.

— J'espère qu'on le regrettera pas.

— Vous êtes absolument certains d'avoir trouvé le *Nuestra Señora de la Luz?* demande le capitaine Vanover.

Ils sont assis sur des chaises pliantes en aluminium, qui s'enfoncent dans l'ensablement où est situé le restaurant portable, La Mouette. Chaque matin, le commerce est installé à la marée basse dans quinze centimètres d'eau, sur le haut-fond mou, à une trentaine de mètres au large de la plage de Côte Saint-Luc. On peut s'y rendre seulement en chaloupe ou en vedette motorisée. Le restaurant doit être démonté chaque après-midi, avant la marée haute. Mais l'endroit est des plus spectaculaire, avec les moutons qui viennent se briser tout autour et les milliers de goélands et de pélicans qui font des taches claires sur l'eau miroitante.

Le capitaine a invité les quatre jeunes à dîner. Geoffrey Gallagher les ignore, Cutter et son équipe les évitent et Menasce Gérard les méprise. Quelqu'un se doit d'être gentil avec eux, se dit-il.

— Ça fait trois cents ans qu'on cherche ce bateau, déclare le capitaine.

— On est certains, confirme Adriana. Chaque artefact qu'on a tiré de l'épave était espagnol – tous, sauf le manche avec les initiales JB, que quelqu'un a dû voler ou échanger, j'imagine. Si on se fie aux archives espagnoles, ça peut juste être ce galion-là.

— Si vous avez raison, vous êtes riches, dit Vanover.

— Ou Cutter l'est, ajoute tristement Dante.

Vanover prend un air renfrogné. Il lui a été difficile de croire que Tad Cutter, un scientifique de Poséidon, abuse de son pouvoir pour faire la chasse au trésor. Mais, plus tôt ce jour-là, Menasce Gérard lui a dit la même chose.

— J'aurais dû vous écouter, quand vous m'avez dit, la première fois, qu'il agissait bizarrement. Mais je ne pense pas qu'il ait trouvé plus de choses que vous, pas encore. Je l'aurais remarqué si le *Ponce de León* transportait une lourde charge parce qu'il s'enfoncerait dans l'eau jusqu'au plat-bord.

— Alors, c'est pas trop tard, le presse Kaz. Venez avec nous quand on va en parler à Gallagher! Il va pas nous écouter, nous, mais il va être obligé de prêter attention à un de ses capitaines.

Vanover prend une bouchée de son ragoût aux fruits de mer et réfléchit en la mâchant.

— On pourrait essayer ça. Mais à quoi ça servirait? Poséidon congédie Cutter... et puis quoi après? Il va simplement trouver un autre bateau et continuer à creuser. Maintenant, vous avez un avantage réel sur lui. Il ne sait pas que vous savez.

— Et il nous considère pas comme une menace, ajoute Adriana.

— Il nous considère pas, point à la ligne, laisse tomber Star avec amertume.

— C'est un avantage, souligne Vanover. En ce moment, il doit se frapper la tête contre le mur en se demandant où est le trésor. Même dans ses rêves les plus fous, il ne pourrait jamais s'imaginer que vous êtes aussi près du trésor que lui.

— Peut-être même plus près, lui dit Kaz.

Lentement, il explique que Dante a aperçu quelque chose qui ressemblait à une traînée d'objets éparpillés qui, selon lui, pourrait être le trésor.

— C'est juste une théorie, conclut-il, mais toutes les fois que Dante a vu quelque chose sous l'eau, il s'est jamais trompé.

Le capitaine se penche vers eux.

— C'était à quelle profondeur?

— J'étais à trente mètres quand je les ai vus, répond Dante. C'est difficile à évaluer, mais ça avait l'air beaucoup plus loin que la surface. L'Anglais était avec moi et il a rien vu.

Vanover siffle entre ses dents.

— Ce serait environ quatre-vingt, cent mètres. Impossible de plonger jusque là – du moins, pas avec un équipement de plongée ordinaire. Mais on peut peut-être jeter quand même un coup d'œil.

— Comment? demande Star.

— Ce n'est pas à moi que vous devez demander ça, répond Vanover en se redressant, un large sourire aux lèvres. Demandez-le plutôt à votre vieil ami.

Iggy Ocasek est ravi de les voir et encore plus content qu'on fasse appel à son expertise.

— Je n'ai pas grand chose à faire pendant qu'on répare mon laboratoire, leur explique-t-il.

Le problème : comment examiner un fond marin trop profond pour une plongée conventionnelle.

La solution : descendre une caméra vidéo à cent mètres et regarder tout autour en sécurité, dans le confort du R/V *Hernando Cortés.*

Le scientifique excentrique est déjà en train de prendre des notes, avant même qu'ils aient fini de lui expliquer ce qu'ils veulent.

— Vous allez avoir besoin d'un projecteur à cette profondeur, déclare-t-il, alors, il faudra un genre de plate-forme de montage. Et des poids pour la stabilité. Voyons voir... avec quatre caméras à grand angle, on obtiendra un balayage de trois cent soixante degrés. Cent mètres de câble coaxial – non, plutôt cent vingt-cinq. On ne veut pas en manquer si jamais il faut descendre plus bas...

— Vous voulez pas savoir ce qu'on veut faire avec? demande Kaz, ébahi.

— Mmmmm.

Pour le moment, sept personnes sur terre savent qu'il y a des objets mystérieux sur le bord des hauts-fonds cachés.

Plus l'information circulera, plus il y aura de risques pour que quelqu'un trahisse le secret. Mais les stagiaires n'ont pas le choix. Le scientifique doit être mis au courant de ce qu'il cherche.

Quand ils le lui disent, c'est à peine s'il lève la tête. Pour un homme dont la seule préoccupation est la science, 1,2 milliard de dollars, c'est la même chose que 1,2 cent.

30 août 1665

Si Samuel a cru que la capitulation signifiait la fin du carnage, il s'est complètement trompé. Maintenant qu'ils ont le plein contrôle de la colonie, les corsaires se sont déchaînés. Pendant près de quatre mois, ils ont été coincés à bord d'un bateau; non seulement ont-ils été maltraités et mal nourris, mais ils se sont tellement ennuyés qu'ils en sont presque devenus fous. Maintenant, la marmite a sauté, libérant des énergies dévastatrices sur les malheureux habitants de Portebello.

La cruauté dépasse tout ce qu'on pourrait imaginer. Tandis que les voiles imposantes de la flotte de corsaires entrent dans le port capturé, des cris retentissent de chaque maison de la ville en ruine. Même l'église n'est pas un sanctuaire. La torture et les meurtres deviennent un pur divertissement. Le pillage suit naturellement parce que les morts n'ont rien à faire de leurs possessions. Chaque bague, chaque bracelet, chaque croix, même fabriqué avec le métal le plus vil, se retrouve dans une poche anglaise.

Samuel a pour tâche d'aider York à soigner les corsaires blessés. Le barbier est dans son état habituel, c'est-à-dire couvert de sang. La scie qu'il utilise pour effectuer ses terribles amputations a l'air d'un ustensile de boucherie.

Samuel déteste les moments qu'il est forcé de passer auprès de York. Mais aujourd'hui, c'est une grâce parce que, de cette façon, il peut s'éloigner du pillage et du carnage qui l'entourent.

York s'occupe présentement de Patchett, le maître canonnier, qui a reçu un coup d'épée à l'épaule. C'est presque un coup de chance. Quelques centimètres plus bas et l'homme aurait sûrement perdu son bras sous la scie de York. Mais on ne peut pas amputer une épaule. Il faut la traiter et voici en quoi consiste le traitement :

Le barbier sort une petite boîte en fer-blanc de la poche de sa veste graisseuse et la tend à Samuel. Tandis que Patchett hurle de douleur, York enfonce ses doigts crasseux dans la plaie pour bien séparer la chair déchirée. Samuel doit alors verser le contenu de la boîte dans la longue coupure.

Samuel soulève le couvercle et recule de dégoût. Au lieu de contenir une poudre cicatrisante, le contenant grouille de vers.

— M'sieu! s'écrie-t-il. Les vers ont mangé le médicament!

York éclate de rire.

— C'est ça, le médicament, Le Chanceux! Les vers vont manger la chair abîmée et ne toucheront pas à celle qui est bonne. Maintenant, prends-en quatre qui sont bien vigoureux et laisse-les tomber dedans.

Samuel fait ce qu'on lui demande, puis court derrière la Casa Real et vomit jusqu'à ce que plus rien ne sorte.

C'est alors que les cris commencent, la voix du capitaine Blade retentissant plus fort que toutes les autres. Samuel suit le son, sachant pleinement qu'il devrait probablement partir en courant dans la direction opposée.

Les corsaires sont rassemblés sur le quai, devant les grands entrepôts. La richesse du Nouveau Monde est amassée dans ces bâtiments – des métaux précieux provenant des mines des Indiens au sud, ainsi que des richesses inimaginables de l'Orient. Sur terre, le trésor est transporté à dos de mules de Panama, sur le côté Pacifique de l'isthme, jusqu'ici, où il attend les grands galions qui l'amèneront au roi d'Espagne.

Samuel a entendu, au cours de la traversée, les marins du Griffin *parler de cet endroit. C'est tout simplement l'acre le plus riche de toute la terre.*

Les immenses portes ont été ouvertes pour révéler le contenu des entrepôts légendaires. Même à cette distance, Samuel peut voir qu'ils sont tous vides.

À titre de mousse du capitaine, il a été bien des fois exposé au mauvais caractère et à la rage homicide de James Blade. Mais il n'a jamais vu le capitaine dans un état pareil. Le maire de Portebello tremble sur le sol, devant lui, et offre de l'information en échange de sa vie.

— Les galions sont partis... depuis quatre jours! Prenez tout le trésor! On ne cache rien! Je le jure!

Le capitaine sort son fouet et le maire recule, terrifié. Le fouet claque, pas sur le pauvre Espagnol, mais au-dessus des têtes de la foule de corsaires. Il veut attirer leur attention.

— Retournez à bord, bande de rats! Leurs galions pèsent lourd avec notre trésor! Gardez vos épées à portée de la main, les gars! La tuerie n'est pas encore finie!

CHAPITRE TREIZE

Dans le clair de lune, le *Hernando Cortés* glisse doucement hors du port de Côte Saint-Luc. Il est presque vingt-trois heures. Il n'y a aucun témoin. Mais, même si le départ avait été observé, il est peu probable que quelqu'un aurait pu identifier l'appareil attaché au pont avant.

L'objet ressemble à la vitrine d'un magasin d'appareils vidéos qu'un éclair aurait frappée, fusionnant les caméras et les projecteurs en une masse bien compacte.

— Est-ce que ça marche? demande timidement Adriana.

Iggy Ocasek semble vaguement surpris par la question.

— Ça fonctionnait à la perfection dans ma baignoire.

Au gouvernail, Vanover laisse échapper un rire.

— Ne t'inquiète pas. Si Iggy l'a construit, ça va même voler.

Puis il fronce les sourcils, au moment où le bateau rebondit dans les vagues venant en sens inverse.

— La mer est agitée, cette nuit. Ça pourrait être une promenade difficile.

Quand ils atteignent les coordonnées du site de

l'épave, Vanover réduit la vitesse. Ils avancent lentement, jusqu'à ce que le sonar leur indique qu'ils passent au-dessus du point où les hauts-fonds cachés descendent vers les profondeurs. Le treuil soulève alors l'arsenal de caméras du scientifique et pivote pour le suspendre au-dessus de la mer. Quand il disparaît sous la surface, les projecteurs s'allument. Tous en restent bouche bée. L'illumination est si puissante que la mer s'éclaire comme un aquarium. La lumière faiblit au fur et à mesure que l'engin descend. Mais, même à quatre-vingt mètres, la profondeur où doit avoir lieu la recherche, on peut toujours apercevoir une faible lueur sous les vagues.

Les quatre stagiaires se précipitent sous le pont, vers le moniteur à circuit fermé que le scientifique a installé dans le salon. L'écran est divisé en quatre, un quadrant pour chaque caméra.

— Y'a rien, dit Dante en fronçant les sourcils.

L'écran montre de l'eau qui tourbillonne et, de temps à autre, une créature marine qui observe avec étonnement l'étrange intrus mécanique.

— On est loin du récif, lui rappelle Ocasek. C'est là que la vie marine est la plus active.

— Mais où est le fond? demande Star.

— Je ne sais pas vraiment, répond Ocasek.

— Imaginez une montagne, intervient la voix du capitaine Vanover dans la radio émetteur-récepteur de la timonerie. C'est un peu comme si nos caméras flottaient dans l'espace à côté. Il se pourrait que le bas de la pente soit à six cents ou même à neuf cents mètres.

Kaz sent que ses paupières commencent à s'alourdir. Quinze minutes à fixer un écran qui ne montre rien, au son du tic tac de l'horloge, sape les forces de tous les stagiaires. Il est minuit passé. Toute l'affaire semble se transformer en un énorme fiasco. Comment vont-ils pouvoir trouver quelque chose sur une pente qu'ils ne parviennent même pas à trouver?

Ça se produit tellement vite qu'ils ont à peine le temps de crier. D'abord, une grosse méduse luminescente apparaît dans le quadrant en haut à droite. Puis un mur diagonal de sable et d'algues se précipite vers la caméra.

Dante réagit le premier.

— Mettez les freins! beugle-t-il au walkie-talkie.

— Ralentissez! s'écrie Adriana.

— Virez de bord! hurle Star.

Quand la caméra heurte la boue, Kaz, qui s'attend à un impact, tressaille. Mais le bateau lui-même n'a rien frappé, bien sûr. Seul l'arsenal de caméras, à quatre-vingts mètres sous la surface, a subi une collision.

Suivant les directives d'Ocasek, Vanover recule, ce qui dégage l'engin de l'inclinaison boueuse. Deux lentilles sont couvertes de sable, mais elles se nettoient rapidement.

À partir de ce moment-là, toute trace de fatigue et d'ennui disparaît. Le *Cortés* suit lentement un tracé linéaire, permettant aux caméras de balayer la dénivellation sur un parcours de cinq cents mètres, dans chaque direction horizontale. Puis le treuil descend l'arsenal huit mètres plus bas. Le capitaine Vanover apporte les modifications nécessaires à la route, et un autre tracé de mille mètres commence.

Vers deux heures du matin, alors qu'ils descendent les caméras à cent mètres, une rafale de vent leur souffle au visage et la pluie se met à déferler sur eux.

— Est-ce qu'on en a encore pour longtemps? crie Vanover du cockpit. Il y a une tempête qui approche!

Avec le mouvement violent des vagues qui agitent son cordon ombilical, l'arsenal de caméras ballotte et tournoie loin sous eux. Les images sont chaotiques. Les yeux rivés sur l'écran, Kaz sent le sang lui marteler les tempes, tant il craint que quelque chose passe inaperçu. Les mouvements du bateau lui donnent la nausée, mais il avale avec détermination, les yeux collés au moniteur. À côté de lui, Dante, qui n'a jamais eu le pied marin, tient ses genoux serrés sur lui et gémit.

Ocasek est l'image même de la concentration.

— Si c'est là, on va trouver, dit-il calmement.

Quand vient le temps de descendre le treuil à cent dix mètres, il est évident que les conditions à l'extérieur se sont détériorées encore davantage. Les secousses imprimées au pont font tomber Adriana sur le dos. Même Kaz, qui a un équilibre incroyable à cause du hockey, doit se tenir sur les toits et les cloisons des cabines tant la mer malmène le *Cortés*.

— Retournez en bas! tonitrue Vanover, derrière le gouvernail. On fait demi-tour!

— Pas tout de suite! implore Dante, qui doit crier pour que sa voix porte. Je sais que j'ai vu quelque chose!

— Non! lance le capitaine d'une voix retentissante. Dans des eaux pareilles, si tu tombes par-dessus bord, c'est fini!

Une vague s'écrase par-dessus la proue, trempant le treuil et les stagiaires qui essaient de le manier.

— Juste un autre tracé! hurle Star en se secouant comme un chien mouillé. Si on abandonne maintenant, on finira jamais!

Vanover hésite. La pluie lui fouette le visage.

— Un dernier! concède-t-il finalement. Mais après, même si vous trouvez le continent perdu d'Atlantis, on rentre à la maison!

Star et Dante descendent l'escalier des cabines en pataugeant et se joignent aux autres devant le moniteur, pour le dernier tracé.

Le bateau fait une embardée; l'instant d'après, l'arsenal de caméras, au fond, s'écarte de la pente. Et quand le mouvement pendulaire ramène l'appareil à sa place, l'objet est là dans le quadrant en bas, à gauche : le long tube de bronze d'un canon.

Les quatre stagiaires se mettent à crier en même temps. Aucun mot n'est intelligible.

Même le scientifique est excité.

— Recule, Braden! Recule!

— Es-tu fou? grince la voix sèche dans la radio. Je fais ce que je peux pour nous empêcher de couler!

L'arsenal ballotte dans le courant et, pendant un moment, une des caméras plonge et révèle des pierres de leste éparpillées et d'autres débris à moitié enfouis dans la pente de sable.

Dante, qui a quitté sa chaise, s'écrie :

— Est-ce que vous avez vu ça?

Mais un coup de tangage le précipite dans les bras du scientifique.

— D'autres débris du *Nuestra Señora*! s'exclame Adriana, étonnée. Je me demande comment ça s'est rendu aussi loin.

Star a une idée.

— Peut-être que le galion s'est brisé en deux quand il a coulé. Et la force de l'ouragan en a fait tomber la moitié des hauts-fonds.

— La moitié avec l'argent dedans! s'empresse d'ajouter Dante.

Kaz se laisse séduire par l'argument.

— Ça expliquerait pourquoi Cutter a pas trouvé de trésor.

— Hé! lance une voix furieuse dans la radio. Si vous avez fini avec vos théories, est-ce que vous me permettez de nous sortir d'ici?

— Vas-y! s'empresse de dire Ocasek. On va remonter les caméras pour ne pas qu'elles se fracassent quand on va traverser le récif

— O.K., mais faites attention! Il y a des vagues de trois mètres qui s'écrasent par-dessus la proue.

Lorsqu'ils arrivent en haut, le pont du *Cortés* est inondé d'écume et chancelle sous les assauts de la mer. Plusieurs harnais de sécurité, lancés de la timonerie, atterrissent à leurs pieds en les éclaboussant.

— Mettez-les! lance le capitaine d'une voix retentissante. Et attachez-vous à quelque chose de fixe!

En franchissant les dix mètres qui le séparent du treuil, Kaz se doit d'admettre qu'il s'agit là de la course à obstacles la plus difficile de sa vie. Il s'attache à la lisse, comme on s'accroche à la vie, tandis que le scientifique met le treuil en marche. Le câble commence à s'enrouler.

Kaz allonge le bras pour retenir Star qui trébuche. Une seconde plus tard, ses propres jambes se dérobent sous lui, et il se retrouve pendu à son harnais en se disant qu'il aurait été emporté sans lui. Star, par ailleurs, est restée sur ses pieds, et sourit d'un air moqueur et triomphant en le regardant par terre.

Le treuil continue à vibrer et à gronder. Soixante-cinq mètres... cinquante mètres... Les lumières sous-marines approchent et brillent plus fort. La mer déchaînée s'illumine sous eux. Trente mètres... quinze mètres... huit mètres...

Puis l'arsenal, qui est toujours attaché à sa plate-forme lestée, fait surface, brillant comme une supernova. Du coup, on se croirait en plein jour, ce qui permet aux occupants du *Hernando Cortés* de constater dans quel pétrin ils se trouvent. Le bateau, qui donne de la bande dans les creux et les crêtes d'une mer déchaînée, a transformé l'appareil qui pend du treuil en un projectile de cinquante kilos. Il se balance au bout de la grue comme un ballon captif meurtrier et va frapper le côté de la timonerie; un hublot vole en éclats. Puis l'embarcation se redresse, ce qui projette l'engin de l'autre côté du bateau, sur sa largeur. Il manque la tête d'Adriana de peu.

Kaz saisit une gaffe et accroche le cordon ombilical. Mais le mouvement suivant du bateau lui arrache le bâton des mains.

— Attention à vos têtes! beugle Vanover au moment où la batterie revient voler au-dessus d'eux.

Bang! Elle entre en contact avec la rambarde et la cabosse. Ils regardent une des caméras, qui s'est détachée au moment de l'impact, plonger dans la mer.

Kaz ramasse la gaffe et la lance en direction du cordon ombilical entortillé. Il manque le câble, mais l'extrémité attrape le cou d'un des projecteurs et s'y accroche. L'appareil vient s'écraser sur le pont.

En rugissant comme un tigre qui bondit, Ocasek se lance sur sa création fugitive pour l'empêcher de s'envoler une autre fois.

Il est quatre heures trente du matin quand le *Hernando Cortés* rentre en se traînant dans le port de Côte Saint-Luc.

Trempés et exténués, les quatre stagiaires aident le scientifique à transporter dans son pavillon ce qui reste de l'arsenal. Il manque une caméra, une autre est cassée, plusieurs projecteurs ont volé en éclats et l'ensemble, qui est à maintes reprises entré en collision avec le fond marin incliné, est couvert de boue.

— Je suis désolée, Iggy, dit Star d'un air penaud. Je pensais pas qu'on allait le bousiller.

Le scientifique est emballé.

— On a trouvé ce qu'on cherchait. C'est tout ce qui compte. Le reste, c'est la faute de la température.

— Est-ce que vous allez avoir des problèmes à cause de tout ça? demande Dante avec une certaine nervosité.

— Tu veux rire? répond le scientifique, avec un large sourire. Si j'arrivais un jour et que tout n'était pas brisé, Geoffrey aurait une crise cardiaque!

Ils se souhaitent bonne nuit et rentrent chez eux en se traînant péniblement. Kaz et Dante entrent dans leur pavillon et allument la lumière.

Dante se dirige droit vers la salle de bain et commence à retirer ses vêtements mouillés.

— J'ai jamais été aussi fatigué de ma vie! Je vais dormir pendant cent ans!

— Moi aussi, fait Kaz en bâillant. Aussitôt que je vais mettre la tête sur l'oreiller...

Il s'immobilise.

Là, dans le coin, la cloche du *Nuestra Señora de la Luz* repose sur un tapis de bain. Mais elle n'est pas complètement sur le tapis, ce qui veut dire qu'elle a été déplacée. Et, en face, sur le plancher de terrazzo, on peut voir deux empreintes de pieds sablonneuses.

Il se pourrait que leurs activités ne soient plus, après tout, un secret pour Cutter.

CHAPITRE QUATORZE

Il est presque midi quand Adriana se réveille. Le puissant soleil des Caraïbes qui se faufile entre les pans du rideau est brûlant; elle a l'impression qu'il est en train de lui creuser un petit trou au centre du front. Elle jette un œil vers l'autre lit. Star dort toujours en ronflant doucement. Les plongeurs ronflent toujours. C'est un effet secondaire de la pression et du temps passé au fond de l'eau. Il est même déjà arrivé à Adriana de se réveiller avec ses propres ronflements.

Elle s'assoit dans son lit, bâille, s'étire, puis, apercevant ses mains, laisse échapper un hoquet de surprise. De la boue brune et épaisse a séché sous ses ongles. Sa mère, immaculée et très mode, s'évanouirait et en mourrait sûrement!

Chez les Ballantyne, les femmes soignent leur présentation. C'est ce qu'on répète à Adriana depuis sa naissance. Sa mère, de toute évidence, n'a jamais eu à manipuler une batterie de caméras de cinquante kilos qui a gratté le fond marin. Pour elle, l'océan, c'est pour les croisières et les sushis.

Pieds nus, Adriana marche à pas feutrés jusqu'à la salle de bain et allume la lumière. Elle fouille dans son sac de toilette, trouve son ensemble de manucure et commence à se nettoyer les ongles.

Ouach! C'est dégoûtant. On pourrait planter des patates dans la motte de terre que j'ai sortie de sous l'ongle de mon pouce!

Tout à coup, la motte scintille.

Hein? Adriana cligne des yeux.

C'est une minuscule particule, qui fait environ la moitié de la taille d'un grain de sable. Elle est d'un jaune vif et quand la lumière la frappe, elle étincelle.

Adriana regarde de plus près. Pas tout à fait jaune. Plutôt... dorée.

Maintenant intriguée, elle étend un mouchoir sur le comptoir, fait tomber la poussière dessus et se sert de pinces à sourcils pour séparer le flocon brillant du reste.

Il est très brillant, et souple aussi. Les pinces tranchantes ne réussissent pas à le couper. Une forte pression ne laisse qu'une trace.

La jeune fille a le souffle coupé. Ça n'a pas seulement l'apparence de l'or; c'est de l'or!

Elle finit de se nettoyer les ongles sur le mouchoir et examine le résultat. Juste de la saleté. La tête lui tourne. Elle s'assoit sur le bord de la baignoire et essaie de mettre de l'ordre dans ses idées. La saleté s'est logée sous ses ongles quand elle a transporté l'arsenal de caméras d'Iggy. C'est de la boue qui a été draguée sur la pente de l'océan, près du deuxième champ de débris du *Nuestra Señora.* Ça ne peut pas être une coïncidence – une minuscule particule d'or provenant du lieu même où ils soupçonnent qu'un fabuleux trésor se cache.

Mais l'or espagnol était en lingots, en pièces, en superbes chaînes décoratives. Ça, c'est à peine plus gros qu'un grain de poussière.

Quand elle trouve la réponse, elle a une telle poussée d'adrénaline qu'elle se sent plus terrifiée qu'éclairée. Incapable de contenir l'excitation dans un seul corps, elle saute sur ses pieds.

— Star! Star!

Les quatre stagiaires se joignent au capitaine Vanover à une table, dans un coin tranquille de la cafétéria de Poséidon.

Dante fixe du regard le minuscule flocon sur le bout du doigt d'Adriana.

— C'est pas un trésor! C'est une molécule!

— C'est une molécule *d'or*, précise Star, irritée. Et parle moins fort.

— C'est vrai que c'est petit, fait remarquer Vanover. Je ne peux pas fournir d'explication, mais j'imagine qu'il est possible que ce soit un phénomène naturel.

— C'est ce que je pensais, reconnaît Adriana. Mais ensuite, je me suis rappelé quelque chose que j'avais lu sur le site Web du gouvernement espagnol. Tous les trésors du Nouveau Monde qui arrivaient en Espagne étaient lourdement imposés. Mais on savait jamais quelle quantité avait été passée en contrebande pour éviter les impôts. Et le trésor qu'il était le plus facile de faire passer en douce, sans que les autorités s'en aperçoivent, était de la poussière d'or.

— Ouais, dit Kaz d'un ton de doute, mais un morceau?

— Pense à ce qui se passe quand un bateau coule, poursuit Star. Ça crée un tourbillon, comme dans le cas du *Titanic*. Quelque chose d'aussi léger que de la poussière d'or va être aspiré dans le tourbillon et s'éparpiller au fond autour de l'épave.

— Alors, on a fait une petite expérience, continue Adriana. On a sorti nos vêtements boueux du panier. On a trouvé un autre grain sur la blouse de Star.

Ses yeux brillent.

— Y'a pas d'erreur. Le champ de débris qu'on a photographié hier contient le trésor – le *vrai* trésor! On peut pas ramasser toute cette poussière, mais le reste est là et attend seulement d'être recueilli!

Dante étouffe un cri de joie.

— Je peux pas y croire! On l'a trouvé! C'est à nous! Maintenant, tout ce qu'il nous reste à faire, c'est de trouver un moyen de le remonter.

— Pas si vite, objecte le capitaine d'un ton sérieux. Ce qu'on a vu hier était à cent dix mètres. Et ce n'était que le haut du champ de débris. Qui sait si le trésor ne se trouve pas encore bien plus bas sur la pente? Il n'est pas question que je vous laisse plonger aussi creux – même toi, Star.

Celle-ci serre les mâchoires.

— C'est pas à vous de décider! Je veux pas vous insulter, capitaine, parce que vous avez été super avec nous. Mais on parle de un milliard de dollars à peu près!

— Ça ne vaut même pas dix cents si vous vous tuez en essayant de le récupérer.

Dante est horrifié.

— Vous voulez dire qu'on va juste le laisser là-bas?

— Calmez-vous, lance le capitaine. Il existe des façons de récupérer des choses dans les eaux profondes. C'est possible, mais délicat. Et il faut savoir exactement ce qu'on fait. Relaxez. On a le temps. Cutter regarde à la mauvaise place et ne sait même pas que vous cherchez.

Kaz et Dante échangent un regard inquiet.

— C'est pas tout à fait exact, commence Kaz lentement.

Il raconte aux autres qu'il a vu des empreintes devant la cloche, sur le plancher de son pavillon.

— Ça doit être Cutter, conclut-il. Qui d'autre est-ce que ça pourrait être?

Star a l'air inquiète.

— On a un problème. S'il nous voit en train de fouiner autour du deuxième champ de débris, on va le mener directement au trésor.

Le capitaine Vanover a l'air de quelqu'un qui vient tout juste de prendre une décision.

— O.K. Voici ce qu'on va faire. Poséidon possède un sous-marin de recherche appelé *Octopode*. Je vais le réquisitionner et on va tous descendre là-bas. Si on peut mettre la main sur un morceau de ce trésor qui concorde avec la liste du chargement du site Web, on pourra alors réclamer le droit de propriété de l'épave auprès de la Commission maritime internationale.

Alors ce que Cutter sait ne changera rien, ajoute-t-il en les regardant droit dans les yeux. Ce sera notre prix, pas le sien.

CHAPITRE QUINZE

Si un hélicoptère en forme de bocal à poissons épousait un sous-marin, leur progéniture ressemblerait très probablement au véhicule de grand fond qu'est l'*Octopode*. Une sphère miroitante, faite d'acrylique translucide, sort d'une coque de titane criblée de lumières, de caméras et d'autres instruments. Avec ses six bras télémanipulateurs repliés, le submersible a presque l'air d'un insecte.

— Il est beau, hein? s'exclame le capitaine Vanover.

— Non, répond Dante d'un ton convaincu.

— J'imagine que non, concède le capitaine. Mais il va nous emmener là où on a besoin d'aller. De plus, il faut normalement réserver ce bateau-là six mois à l'avance. Vous n'avez pas idée combien de faveurs j'ai dû demander et à combien de personnes il a fallu que je mente pour qu'on nous mette en priorité sur la liste.

L'*Octopode* repose sur le pont de lancement de son vaisseau de soutien. Le *Nautilus* est un bateau beaucoup plus grand que le *Hernando Cortés* ou le *Ponce de León*. Il doit loger la grue nécessaire pour placer le véhicule de grande profondeur dans l'eau et le ramasser quand la mission est terminée.

Kaz a la tête qui tourne à la fin des présentations et des poignées de main.

— Ça prend tant de monde que ça pour diriger un petit submersible? chuchote-t-il.

—La plupart font partie de l'équipage du *Nautilus*, réplique Vanover. Mais il y a toujours un technicien à bord pour contrôler chaque mouvement du sous-marin. N'oublie pas que l'*Octopode* a été construit pour explorer le fond sous-marin, à des profondeurs allant jusqu'à plus de trois kilomètres.

En voyant le visage de Dante prendre une teinte grise, il s'empresse d'ajouter :

— On n'ira pas aussi profondément.

Vanover les quitte et grimpe l'échelle métallique menant au pont très haut du grand bateau. Il a pour tâche de guider le capitaine du *Nautilus* jusqu'aux coordonnées où l'arsenal de caméras d'Iggy Ocasek a repéré le second champ de débris.

Dante s'appuie contre la lisse et observe le fourmillement d'activités.

— Vous pensez qu'on va devoir partager l'argent avec toutes ces personnes?

Adriana est dégoûtée.

— Est-ce que c'est tout ce que ça représente pour toi? De l'argent?

— Ouais, ben, ceux qui ont pas déjà 1,2 milliard de dollars en banque ont plutôt hâte de voir comment vivent ceux qui en ont, rétorque Dante avec brusquerie.

Les yeux d'Adriana se contractent tant elle est en colère.

— Tu sais même pas ce que ma famille a.

— T'as pas à t'excuser d'être riche, insiste Dante, mais prends pas des airs supérieurs parce que, pour toi, tout ce qui compte, c'est l'archéologie. C'est facile d'avoir des sentiments nobles quand t'as pas besoin d'argent. Moi, j'en ai besoin.

— Je me fiche de l'argent, lance Star sur un ton lugubre. Tout ce que je veux, c'est voir l'air de Cutter quand on va arriver avec le trésor. Nous, les nuls choisis parce qu'on allait pas être une menace pour lui... une *handicapée* qui pouvait sûrement pas plonger...

Sa voix s'éteint, mais ses yeux lancent des éclairs.

— C'est tout ce que je veux voir.

Argent. Science. Vengeance. Kaz s'étonne devant les différentes raisons que ses compagnons ont de convoiter le trésor. Il pense à quelque chose de totalement différent – au crâne qu'ils ont déterré dans l'excavation de Cutter. Il y a plus de trois cents ans, des gens sont morts dans ce naufrage.

Et on va prendre leurs choses parce qu'ils sont plus en état de les protéger.

La logique est ridicule. Tout l'or du monde ne pourrait pas aider ces pauvres marins, morts depuis trois siècles, et dont les descendants sont éparpillés à travers des douzaines de générations.

De toute façon, si on trouve pas le trésor, c'est Cutter qui va mettre la main dessus.

Ses rêveries sont interrompues par Vanover qui les appelle.

— C'est le temps, les jeunes!

Si le pont du *Nautilus* est achalandé et frénétique, la cabine du submersible, par contre, est un endroit incroyablement isolé. Une fois l'écoutille scellée, la bulle en acrylique de douze centimètres d'épaisseur étouffe tous les sons. C'est comme s'ils étaient enfermés dans un cercueil de verre. Ils sont plongés dans la coque de titane de l'*Octopode* jusqu'à la poitrine. Au-dessus de ça, la sphère produit un effet de serre. La lumière éclatante du soleil ne tarde pas à cuire l'intérieur exigu.

— Ça se rafraîchit quand on plonge, leur promet le capitaine, pendant qu'il fait basculer des interrupteurs à levier et règle des cadrans, sur un panneau de contrôle qui encercle la chaise du pilote.

C'est le seul siège officiel. Les quatre stagiaires s'entassent dans le reste de la cabine, une aire faisant environ un mètre de large sur deux de long. Ça rappelle à Kaz le fameux concours au collège, où on essaie d'entasser le plus grand nombre d'étudiants dans une Volkswagen.

Finalement, tout est prêt.

— *Nautilus*, ici *Octopode*, lance Vanover dans le microphone. Prêts à plonger.

C'est une sensation bizarre : il y a du mouvement, mais aucun son. L'énorme grue en A hisse le véhicule sur le côté et le dépose presque délicatement dans l'eau. Les stagiaires sentent, mais n'entendent pas, les vagues s'écrasant contre la coque. Ils ont ensuite l'impression que quelque chose grince, au moment où le sous-marin est libéré. Puis l'*Octopode* s'enfonce dans les profondeurs de la mer des Caraïbes.

L'eau transparente passe du turquoise pâle au bleu, et finalement au bleu noir. Vanover allume les projecteurs extérieurs, et la mer sombre autour d'eux s'anime. Des poissons curieux encerclent cet étrange intrus de titane, attirés par les tintements et les bruits secs rythmiques du système de repérage acoustique du submersible. D'autres, des méduses et des pieuvres bioluminescentes, évitent le nouveau venu.

— Incroyable, souffle Star, que baigne la lueur rougeâtre des panneaux de commande.

— On ne s'y habitue jamais, lui dit le capitaine, dont les yeux vont et viennent rapidement entre le panorama sous-marin et l'écran de données derrière son épaule.

L'*Octopode* a été conçu pour fonctionner à des kilomètres sous la surface; il atteint donc la pente près des hauts-fonds cachés en un rien de temps. Le capitaine Vanover active les propulseurs et l'appareil se met à aller et venir sur l'inclinaison, à la recherche du champ de débris qu'ils ont tout juste entrevu, grâce aux caméras d'Iggy Ocasek.

Une heure plus tard, ils n'ont toujours rien trouvé.

Star commence à s'énerver.

— Je comprends pas. On est à la bonne place, c'est certain. Les coordonnées du GPS peuvent pas mentir.

— On suit les coordonnées du *Cortés*, lui rappelle le capitaine. N'oublie pas que les caméras étaient au bout d'un cordon de cent vingt-cinq mètres, qui était secoué par une tempête. On ne peut pas savoir exactement où étaient les caméras quand elles ont repéré les débris.

Il essaie d'avoir l'air confiant, mais la tension transparaît dans sa voix. Il a pris des risques énormes pour réserver l'*Octopode*. S'ils reviennent les mains vides, sa carrière pourrait en souffrir.

Soudain, Dante s'avance en titubant; sa tête va se frapper contre l'acrylique épais de la sphère.

— Là!

— Où? s'écrient les quatre autres en chœur.

— En bas!

Vanover expulse de l'air du compartiment ballast, et le submersible se met à descendre. Selon le profondimètre, ils sont à cent six mètres. Tout à coup, le long canon de bronze apparaît dans la lumière.

— Regardez! fait remarquer Adriana. Les pierres de lest!

Elles sont éparpillées le long du fond marin incliné, sous le tube corrodé, et disparaissent dans les profondeurs noires comme de l'encre.

— Wow! s'exclame Kaz, qui est quasiment au comble de la joie. Jusqu'où vont-elles?

— Il n'y a qu'une façon de le savoir.

Le capitaine met les propulseurs en marche. Le nez de l'*Octopode* s'abaisse et le submersible descend en suivant la pente.

Les pierres de lest sont toujours là à cent vingt-cinq mètres. Et à cent cinquante mètres. En fait, il semble y avoir encore plus de débris. Quand ils atteignent cent quatre-vingt-cinq mètres, ils peuvent apercevoir d'autres signes de l'épave – des assiettes, des bouteilles, des mousquets, des casques. Parmi les objets, les stagiaires remarquent quelque chose qu'ils n'ont jamais vu auparavant.

— Est-ce que ce sont des billots? demande Dante, l'air incrédule, en pressant son visage contre la sphère en acrylique.

Vanover hoche la tête.

— Le bois ne peut pas survivre sur le récif, où il se fait dévorer par des vers. Mais plus on descend dans les profondeurs, moins la vie marine est dense et plus les vieux navires durent longtemps – surtout les parties qui sont enterrées dans le sable.

— Ça fait énormément de choses pour un bateau, observe Star. Il faut pas oublier que l'autre moitié est sur le récif. Les débris doivent bien s'arrêter quelque part.

Dante l'aperçoit en premier, mais un moment plus tard les lumières de l'*Octopode* l'illumine pour les autres. Environ dix mètres plus bas, la pente s'aplatit soudain pour ensuite replonger dans les profondeurs. Ce plateau incliné, à deux cent quinze mètres sous les vagues, est le dernier lieu de repos du vieux bateau.

Kaz le fixe des yeux. C'est bizarre à quel point il en est certain. Naturellement, il n'y a pas de liste de galions abandonnés ici, sur la plate-forme. Et pourtant, le monticule de débris à moitié enseveli dans le sable a la forme exacte d'un vieux bateau qui a gonflé en s'affaissant lentement au cours des siècles. Quand le véhicule s'en approche, ils peuvent distinguer les ancres et les canons, et même un peu de la charpente en bois d'un vaisseau à voiles, qui a jadis vogué avec fierté.

Seule une chose demeure incompréhensible.

— C'est un bateau complet, murmure Kaz en fronçant les sourcils. Enfin presque. Comment est-ce qu'une partie a pu se retrouver là-bas, sur le récif où Cutter fouille?

— Impossible que ce soit le même bateau, déclare le capitaine. Ça peut sembler fou, mais vous avez trouvé deux épaves, les jeunes, pas seulement une.

Les yeux d'Adriana brillent d'excitation.

— *Deux* épaves!

— Non! s'écrie Dante, inquiet. Le *Nuestra Señora* est le bateau avec l'argent! C'est celui-là qu'on veut, pas un misérable chaland qui a coulé juste à côté par hasard!

— Par contre, ajoute Star, qu'est-ce qu'on fait du test de poussière d'or? Selon lui, le trésor est ici, pas sur le récif.

Les cinq réfléchissent, au son du système de repérage qui tinte.

Le capitaine Vanover finit par prendre la parole.

— On va faire travailler les télémanipulateurs. L'important, c'est de trouver un lingot d'or. On se fiche de savoir de quel bateau on le tire.

Il expulse de l'air avec habileté et fait fonctionner les propulseurs, jusqu'à ce que l'*Octopode* flotte directement au-dessus des restes du vieux navire. Puis il tend la main vers les commandes qui font fonctionner les bras mécaniques du submersible.

La forme qui explose de l'obscurité est plus longue que le submersible; c'est un missile vivant, de la vitesse et de l'énergie à l'état pur. Kaz est le premier à voir l'œil, vide et fixe; un bouton noir brillant de la taille d'un poing. Il reconnaît la créature instantanément, même avant que l'énorme gueule s'ouvre, béante, révélant de multiples rangées de dents acérées et meurtrières, prêtes à déchirer la peau.

Bien que Kaz soit en sécurité derrière douze centimètres d'acrylique solide, un sentiment de terreur l'envahit de la tête aux pieds; dans ces eaux, une telle batterie ne peut appartenir qu'à un seul poisson.

C'est Clarence, le requin-tigre monstrueux qui a bien failli mettre fin à ses jours, il y a trois semaines.

Avant que Kaz ait le temps de crier, le corps de deux tonnes heurte le côté de l'*Octopode* de plein fouet.

CHAPITRE SEIZE

Sous l'impact, le véhicule fait une embardée, et ses occupants sont secoués, comme des bas dans une sécheuse.

— C'est...

Avant que Kaz puisse identifier la bête, Adriana et lui se cognent la tête, et il tombe lourdement par terre.

— Clarence! s'écrie Dante d'une voix rauque en se relevant. Il essaie de manger le sous-marin!

— Du calme! ordonne Vanover en s'accrochant aux commandes. Il ne peut pas nous faire de mal ici!

Au même moment, l'énorme requin se lance de nouveau sur la coque et renverse l'*Octopode*. Kaz s'écrase contre la vitre, le visage contorsionné de peur.

— Ouais, ben, je parlerais pas trop vite! s'écrie Dante, qui essaie de retrouver son équilibre en s'agrippant à la chaise du pilote.

Le capitaine tente de stabiliser le véhicule en mettant les propulseurs en marche.

— Il peut nous secouer un peu. Il est aussi gros que le submersible. Mais un requin ne peut pas mordre dans du titane. Ni dans du plastique pare-balles, ajoute-t-il au moment où le museau contondant, de la taille d'une table de cocktail, martèle la sphère en acrylique.

— Je... marmonne Kaz, qui s'efforce de penser rationnellement, malgré sa terreur. Je pense pas qu'il essaie de nous manger. On dirait plutôt qu'il veut se battre, qu'il cherche à nous éloigner.

— Presque comme s'il protégeait son territoire, ajoute Adriana.

— C'est impossible, s'objecte Star. Les requins vivent pas à deux cents mètres, quand même.

— Ils ne devraient pas, réplique Vanover. Il n'y a pas de nourriture pour eux à cette profondeur. Mais le vieux Clarence a toujours été un drôle de numéro. Je vais nous poser au fond et on va faire le mort. On va voir s'il va nous laisser tranquille.

Il actionne le levier; le submersible amorce un virage et s'éloigne de Clarence, qui prépare un autre assaut. Au moment où le compartiment ballast expulse de l'air, le véhicule tombe abruptement, se stabilise, puis chute encore en accrochant le rebord de la plateforme, à quelques centaines de mètres de l'épave. Il rebondit une fois, puis laboure la boue et le sable mouillé, avant de s'arrêter en faisant une embardée.

À l'intérieur de la cabine, l'équipage secoué attend en retenant son souffle. Qu'est-ce que va faire Clarence, maintenant?

Le gros requin décrit des cercles autour d'eux, de loin. Son corps fuselé de six mètres, qui entre et sort des rayons des projecteurs de l'*Octopode*, leur apparaît par intermittence.

Va-t-en, dit Kaz en son for intérieur, en essayant, par un simple acte de volonté, de transmettre son message à travers la bulle pressurisée. *Une fois, c'était le hasard, mais maintenant, tu me traques!*

Le haut-parleur grésille, et tout le monde sursaute.

— *Octopode*, ici *Nautilus*. Braden, selon mes données, tu t'es arrêté à deux cent seize mètres. Je voulais seulement m'assurer que c'est bien là que tu veux être.

Clarence est tout près, maintenant, et décrit toujours une orbite autour d'eux, tandis que sa queue en forme de croissant bouge paresseusement de part et d'autre.

— C'est une longue histoire, *Nautilus*, réplique le capitaine. Mais tout va bien. Terminé.

— Est-ce que tout va vraiment bien? demande Dante avec anxiété.

Le requin approche à gauche en jaugeant le submersible avec ses yeux vitreux et froids. Sa gueule est légèrement ouverte maintenant, ce qui leur permet de voir jusque dans son gosier, au-delà des rangées de couteaux effilés comme des rasoirs. Puis, sans prévenir, le magnifique prédateur fait volte-face et disparaît dans la noirceur.

Personne ne parle. Personne n'ose le faire. C'est comme si, en disant les mots à voix haute – *il est parti* – pouvait ramener le monstre, provoquer une autre attaque. Pendant plusieurs minutes, il n'y a aucun son, à part le sifflement de l'oxygène, ponctué par le tintement de la balise de l'*Octopode*.

Vanover se relève.

— Maintenant, voyons si on peut ramasser une pièce du trésor.

— Ouais! applaudit Dante. On suit toujours nos plans! Allez, juste un peu d'or!

Les autres ne font pas attention à lui. Ils ont remarqué quelque chose qui a échappé à Dante. Le capitaine actionne les commandes avec vigueur, mais rien ne se produit. Il continue à remplir le compartiment ballast d'air, mais le submersible ne quitte pas la saillie.

— Oh-oh, fait-il.

— Oh-oh? répète Adriana. Qu'est-ce que vous voulez dire par « oh-oh »?

Le capitaine parle dans le microphone.

— *Nautilus*, ici *Octopode*. Les deux ballasts sont bien pleins, mais l'appareil ne bouge pas d'un poil. Est-ce que tu vois un problème de ton côté?

La réponse grésille dans le petit haut-parleur.

— Négatif, Braden. Toutes vos données sont normales. Est-ce que les propulseurs fonctionnent?

— Affirmatif, *Nautilus*. Je demande la permission d'interrompre la mission et de lâcher des poids pour remonter rapidement à la surface.

— Interrompre la mission? répète Dante. Mais il nous faut une pièce du trésor pour l'apporter en cour!

— Oublie le trésor, lance Kaz d'un ton sec. Ça va pas nous servir à grand-chose si on est coincés sous deux cents mètres d'eau.

Le submersible vibre lorsque les lourds poids de plomb chutent dans la boue, sur la plate-forme. Les stagiaires retiennent leur souffle. L'*Octopode* ne se déplace pas.

Pour la première fois, Star a vraiment peur. L'incident avec Clarence a été éprouvant, c'est certain, mais elle savait qu'aucun requin, pas même une bête de six mètres, ne pouvait pénétrer la coque du submersible. Mais être pris au fond de la mer dans un cercueil de titane, c'est beaucoup plus terrifiant. Bien sûr, un gros navire de sauvetage pourra éventuellement les atteindre avec une grue. Mais de tels vaisseaux sont lents et gauches. Ça prendra des heures, et même des jours, avant qu'ils en placent un au-dessus d'eux.

Elle pose la question, même si elle appréhende la réponse, autant que le terrible destin qu'elle va sûrement prédire.

— Capitaine, combien est-ce qu'il nous reste d'air?

— Un peu moins de onze heures, réplique-t-il. Si on se fie aux instruments. Et selon eux, on devrait maintenant être à la surface.

— Vous voulez dire qu'on est coincés ici? s'écrie Adriana. Pour combien de temps?

— Si on reste plus de onze heures, c'est la même chose que pour toujours, fait remarquer Star.

— Et ça? demande Dante en montrant un support contenant six bouteilles miniatures d'air comprimé. On est pas pris. On peut s'en aller à la nage!

Star secoue la tête.

— Pas à deux cents mètres. À cette profondeur, la pression est supérieure à vingt atmosphères. Faire sauter cette écoutille, c'est du suicide. L'eau va entrer avec une telle puissance qu'elle va nous écraser.

— Alors, y'a rien à faire? demande Adriana, qui ne peut pas y croire. On attend juste de suffoquer.

— Personne ne va suffoquer, dit Vanover entre ses dents.

Il met les propulseurs arrière en marche et s'efforce de pointer le nez retroussé du véhicule vers le haut. On entend un grincement retentissant. Le submersible vibre, fait une embardée maladroite pour se sortir de la plate-forme boueuse, puis se met à remonter lentement la pente.

Les cris de joie dans la minuscule cabine sont assourdissants.

— Du calme! aboie le capitaine, puis, dans le microphone, *Nautilus*, ici *Octopode*. On va avoir besoin de plongeurs dans l'eau. Je répète : des plongeurs. Le plus de plongeurs possible. Ce n'est pas un exercice.

— Qu'est-ce qui va pas, capitaine? demande Star. Vous avez réglé le problème. On est en train de remonter.

Vanover montre du doigt la sonde de température, à l'écran de données : elle indique 7 °C.

— La température devrait grimper au fur et à mesure qu'on remonte dans des eaux plus chaudes.

Adriana regarde l'affichage.

— Ça change pas.

— La sonde est dans le ventre du submersible, derrière deux plaques de fibre de verre, explique le capitaine. Je pense que ces plaques se sont séparées et qu'on a ramassé un chargement de boue quand on s'est posés sur la plate-forme. C'est pour ça que la température reste basse – c'est plein de boue froide.

— Le requin! s'exclame soudain Kaz. Clarence doit

avoir séparé les plaques quand il a foncé dans la coque!

— Que ce soit arrivé comme ça ou pas, poursuit Vanover, ça ne prendrait pas plus d'une demi-tonne de cette vase pour arracher tout notre système de ballast. L'*Octopode* est un appareil simple : il coule quand il est lourd et il remonte quand il est léger. Les propulseurs ne servent qu'à le manœuvrer.

Il prend une profonde inspiration.

— On ne pourra pas remonter à la surface avec la seule force des propulseurs.

CHAPITRE DIX-SEPT

Catastrophée, Star dévisage le capitaine.

— Il doit bien y avoir quelque chose à faire!

— Fixez tous une bouteille d'air à votre bras, ordonne Vanover. Je vais remonter aussi haut que possible. Quand les propulseurs vont commencer à lâcher, je vais faire exploser l'écoutille et on va regagner la surface à la nage.

Il se tourne vers le microphone.

— *Nautilus*, vous avez entendu?

— Affirmatif, Braden, crachote le haut-parleur. Mes plongeurs sont en train de s'habiller.

Star montre aux autres comment attacher les petites bouteilles latérales à leur bras. *C'est irréel*, se dit-elle. *J'ai tellement peur que j'ai le goût de vomir.* Et pourtant, de l'extérieur, elle semble sereine et prodigue calmement des conseils pratiques à ses compagnons.

— Quand on sera sur le point de briser l'écoutille, pincez votre nez et soufflez, comme vous le faites pour déboucher vos oreilles quand vous plongez. Sinon, la hausse de pression va vous faire éclater le tympan.

Elle fixe la dernière bouteille au bras costaud du capitaine.

Kaz, Adriana et Dante hochent la tête; le choc et la terreur les ont rendus muets.

Le sifflement régulier que fait l'air se change tout à coup en un grondement.

— Je laisse le plus de gaz possible s'écouler dans la cabine, explique Vanover. Ça fait grimper notre pression pour empêcher l'eau de nous écraser.

Star garde un œil sur l'affichage du profondimètre. Ils arrivent à cent vingt-cinq mètres.

Encore trop profond. Pour mettre toutes les chances de leur côté, il faut qu'ils arrivent à soixante mètres.

Quarante-cinq serait encore mieux.

Le sous-marin vibre dangereusement tandis que le capitaine lutte pour le sortir des abysses de la mer. *Il a raison,* reconnaît-elle. Les faibles propulseurs ne sont pas conçus pour ramener l'*Octopode* à la surface – et certainement pas quand le submersible est alourdi par une demi-tonne de boue.

Jusqu'où est-ce qu'on peut remonter? C'est ça, la question.

Quatre-vingt-dix mètres.

— Vas-y, grogne Vanover, qui est trempé de sueur. Ce n'est pas le temps de me laisser tomber.

Quand ils arrivent à soixante-quinze mètres, le noir de l'océan se transforme subtilement en un indigo ultraviolet; preuve que le soleil est en haut quelque part, loin au-dessus d'eux.

Un message leur parvient du minuscule haut-parleur :

— Les plongeurs sont dans l'eau.

— Prions pour qu'on ait du travail pour eux, lâche Vanover d'un ton lugubre.

Soixante-cinq mètres. Le premier propulseur tombe en panne et l'*Octopode*, incapable de maintenir sa trajectoire, oblique vers la gauche.

— Tout le monde à plat ventre! ordonne le capitaine. Quand la mer va entrer, on va rebondir comme des balles de ping-pong!

Tandis que les stagiaires essaient de s'organiser sur le peu d'espace que leur offre le plancher, le submersible se met à tournoyer, les écrasant les uns sur les autres.

Vanover s'agrippe au levier, comme si c'était la corne de la selle d'un cheval sauvage qui fait le saut de mouton.

— Prêt à ouvrir l'écoutille!

Star risque un dernier coup d'œil au profondimètre : 63 mètres. Est-ce qu'ils sont assez haut?

Star ne voit même pas l'écoutille s'ouvrir. Elle n'est tout simplement plus là, et les chutes Niagara se précipitent dans l'*Octopode* en rugissant. Star se pince les narines et souffle avec force, mais ses oreilles explosent quand même de douleur, au moment où la mer s'abat sur eux avec presque sept atmosphères de pression. L'impact est écrasant, un coup puissant qui la plaque contre le plancher. Le capitaine est projeté hors de sa chaise et précipité sur l'acrylique dur de la sphère.

Puis tout à coup, la tempête est terminée. La cabine de l'*Octopode* est remplie d'eau glaciale; à soixante mètres, même une mer tropicale est froide. En frissonnant, Star mord dans son détendeur et se met à pousser les autres par l'écoutille ouverte. L'ivresse des profondeurs l'envahit presque immédiatement – des vapes instantanées, agréables, qui lui font moins sentir le froid et la brûlure du sel dans ses yeux sans protection. *C'est tout à fait compréhensible,* constate-t-elle. *Je respire de l'air comprimé à une profondeur incroyable.*

Kaz est empêtré dans des fils, qui se sont arrachés quand l'assaut de la mer a dégagé d'une secousse l'écran de données du tableau de commande. Star l'aide à se déprendre.

—Vas-y! aboie-t-elle dans son détendeur.

Elle le regarde qui sort du véhicule avec maladresse. Elle espère que les autres vont comprendre qu'ils doivent maintenant regagner la surface; ils sont sûrement aussi narcosés qu'elle.

Elle observe Dante, Adriana et finalement Kaz qui se mettent à battre des jambes vers la surface. Star soupire des bulles de soulagement, puis s'élance à leur suite. Et pourtant, malgré son état confus, elle ne peut pas s'empêcher de penser qu'elle a oublié quelque chose d'important, une tâche essentielle.

Tandis qu'elle remonte, une forme à la dérive sort de l'*Octopode,* six mètres plus bas. Les bras en croix, elle se met à couler lentement.

Quand Star comprend tout à coup, c'est comme si le soleil avait réussi à lever le brouillard. Tout devient clair : *le capitaine*!

Elle fait demi-tour et plonge en luttant contre la flottabilité naturelle de son corps. Sans ceinture lestée, il est difficile de descendre. Elle bat furieusement des jambes pour contrer la résistance de l'eau; la forme de son corps est compacte, un vecteur bien dirigé. En luttant contre les lois de la physique, elle franchit la distance qui la sépare de Vanover. Cinq mètres... trois... un... elle y est presque...

C'est alors qu'elle se rend compte qu'il n'y a pas de bulles qui sortent de son nez, ni de sa bouche. Le capitaine est mort.

Il a les yeux fermés. Il doit avoir perdu conscience quand l'eau s'est engouffrée dans la cabine et l'a projeté contre la sphère. Il a aussi perdu sa bouteille, qui a probablement été arrachée par la même force irrésistible. Les lois de la science et de la pression – inoffensives et ennuyantes sur une feuille de papier dans les cours de plongée. Mais ici, dans la vraie vie; brutales, implacables, meurtrières.

Elle prend son bras. Il est flasque, un morceau de débris qui flotte. Il reste une chance. Elle enlève son détendeur et l'insère de force entre les lèvres grises du capitaine.

Rien. Il est sans vie.

Elle se met à crier de douleur et de chagrin, et ne s'arrête que lorsque la toux lui fait perdre la voix.

Elle se tord tellement en toussant qu'elle ne remarque pas l'explosion de bulles qui s'échappent de son détendeur et montent vers la surface.

Oh non! Le détendeur!

Quand elle finit par mordre dans l'embout, elle se rend compte que presque tout l'air s'est déjà échappé et qu'en aspirant profondément, elle réussira de peine et de misère à tirer quelques bouffées de la bouteille. À plus de soixante mètres, le gaz, sous l'effet de la compression, s'écoule rapidement.

Il faut que je sorte d'ici!

Elle s'élance vers le haut en faisant attention de ne pas monter plus vite que ses bulles les plus lentes. Elle aspire deux autres bouffées d'air avant que la bouteille se vide, et se force à avaler pour retenir son envie d'en prendre plus.

Il ne faut pas que je retienne ma respiration, se souvient-elle. C'est une bonne façon de faire éclater un poumon. Tous les gaz prennent de l'expansion lors de la remontée, y compris ceux qui sont déjà dans le système pulmonaire.

Quarante-cinq mètres. *Lâche pas!* Elle sait qu'elle pourra obtenir une autre inhalation si elle parvient à se rendre à trente mètres – les traces d'air qui restent dans la bouteille vont prendre de l'expansion et elle pourra prendre une autre inspiration. Elle regarde sa montre – 37 mètres – et…

Juste là, en sortant des entrailles de la mer, son cœur s'arrête. À côté de la donnée du profondimètre, un seul mot clignote, accompagné d'un bip sonore aigu.

DÉCOMP.

Décompression. Elle a passé trop de temps dans les profondeurs. Ce n'est plus sécuritaire pour elle de retourner à la surface sans donner à son corps une chance d'expulser de l'azote.

Mais je peux pas m'arrêter! J'ai plus d'air!

CHAPITRE DIX-HUIT

C'est le pire cauchemar de tout plongeur. Le choix qui n'en est pas vraiment un. Monter à la surface, et risquer les effets dangereux et même mortels du mal des caissons.

Ou se noyer.

Star prend sa décision en une fraction de seconde. Ce n'est pas un concours. Elle va se noyer, c'est certain. *Je vais prendre le risque avec les bends!*

Elle monte en flèche, ses pieds battent comme des pistons. Quand elle arrive à vingt-cinq mètres, elle parvient à tirer une fraction de respiration de sa bouteille vide. Puis elle avale encore, luttant contre ses poumons qui réclament ardemment de l'air. C'est illogique mais, tandis qu'elle remonte vers la chaleur et la lumière, elle peut presque sentir les bulles d'azote qui font mousser son sang comme un lait frappé.

Ne pense pas, s'exhorte-t-elle. *Nage!*

Star surgit entre les vagues et retrouve un monde qu'elle croyait bien ne plus revoir. Deux énormes bouffées d'air – le vrai paradis – et puis l'urgence de crier pour demander de l'aide.

— Hé! Hé!

En haletant, elle essaie de s'orienter. La masse métallique de la proue du *Nautilus* se dessine au loin, à environ quinze mètres.

Des mains puissantes l'attrapent par derrière. Saisie, elle se met à crier.

— Ça va! dit le plongeur-sauveteur pour la rassurer. Je suis ici pour t'aider. Ne t'inquiète pas... Tout est fini.

— C'est pas fini! lance-t-elle d'une voix stridente. J'ai eu un accident de décompression!

— Tu n'es pas restée au fond assez longtemps pour ça, lui dit le plongeur. Tu es remontée immédiatement.

— Non! insiste-t-elle. J'ai essayé de sauver le capitaine! Il s'en est pas sorti! Regardez!

Elle lui met sa montre sous le nez.

L'homme jette un œil sur le signal clignotant indiquant *DÉCOMP* et lance dans le microphone de sa cagoule.

— *Nautilus*, ici le plongeur numéro deux. J'ai besoin d'un hélicoptère d'évac pour la décompression – immédiatement!

Il regarde Star attentivement.

— Le capitaine... où est-ce que tu l'as vu et ça fait combien de temps?

— Il coulait à soixante mètres, répond-elle d'une voix haletante, en luttant pour ne pas paniquer.

Une douleur aiguë attaque ses hanches et ses genoux. Des bulles d'azote sont en train de s'agglutiner dans ses articulations – le symptôme classique des bends.

— Il bougeait pas... respirait pas. J'ai essayé de lui donner de mon air...

Elle se met à frissonner, la première attaque du mal. *Relaxe...*

Le plongeur l'attrape avec douceur, mais fermement, et se rue vers le *Nautilus* en battant des jambes.

Les yeux fixés sur le soleil aveuglant, Star verse des larmes amères. Elle ne saurait dire si elle pleure sur le sort du capitaine ou sur le sien. C'est le même drame. Un homme bien est disparu à jamais et elle fait face à la possibilité que cet accident mette fin à ses jours, ici même, aujourd'hui.

Puis on la hisse à bord, d'abord sur la plate-forme et ensuite sur le pont du *Nautilus*.

Elle lève les yeux. À travers un brouillard, elle aperçoit Kaz – en fait, deux Kaz. Elle voit double.

— Je suis désolée! sanglote-t-elle.

— Pourquoi? demande-t-il. Est-ce que ça va? Où est le capitaine?

— Il est mort!

— C'est pas drôle, Star!

C'est Dante. Adriana est à ses côtés.

— Hé! T'as pas l'air dans ton assiette...

— J'ai essayé de l'aider. Je suis restée trop longtemps. J'ai le mal des caissons!

Elle a maintenant du mal à respirer, comme si un bloc de pierre lui écrasait la poitrine.

Elle a conscience de l'agitation autour d'elle, puis quelqu'un lui met un masque à oxygène sur le nez et la bouche. En proie à la douleur, elle distingue de temps à autre des visages, ceux de ses trois compagnons, ainsi que d'autres. La dernière chose qu'elle entend avant de perdre connaissance est le bruit rythmé d'un hélicoptère qui vient à son secours.

Pour Kaz, le cauchemar se reproduit encore. Il reste là sur le pont, dans son short et son t-shirt dégoulinants, à observer l'équipage qui prépare le corps inerte de Star pour son voyage dans les airs. Ça le ramène en arrière, à peine quelques mois plus tôt, sur une patinoire, au cours d'une partie de hockey. Drew Christiansen sur une civière. L'ambulance qui recule dans l'entrée de la Zamboni. Et la sirène.

Aujourd'hui, ce hurlement lugubre est remplacé par le vacarme que fait l'hélicoptère, qui plane au-dessus d'eux et descend une cage de récupération en grillage pour Star.

Star. Comment est-ce que ça peut lui arriver? Elle est la meilleure d'entre nous!

Il ravale ses larmes en regardant l'équipage la déposer sur le fond rembourré du panier. Elle lui a sauvé la vie aujourd'hui. Il n'aurait pas réussi à sortir de l'*Octopode* si elle n'avait pas été là pour l'aider à défaire les fils qui l'avaient emprisonné.

Il est ici; il va bien. Mais elle...

L'équipage recule et la cage se soulève. Soudain, Kaz ne peut pas supporter l'idée que Star va faire ce voyage toute seule – un voyage dont elle pourrait ne jamais revenir. Avant même qu'il se rende compte de ce qu'il est en train de faire, il s'élance. Il met les deux mains sur le rebord du panier, saute par-dessus et atterrit juste à côté de Star.

Tout le monde à bord du *Nautilus* – tant les stagiaires que l'équipage – crie après lui. Mais le grondement de l'hélicoptère couvre leur voix. Le panier est soulevé, au moyen d'un treuil, dans la tempête de vent que font les pales de rotor, puis on le hisse dans la cabine.

Le pilote ne perd pas de temps. L'hélicoptère fonce vers sa destination avant même que la trappe se referme.

L'auxiliaire médical jette un regard furibond à Kaz.

— Pas très intelligent. Tu crois que c'est un jeu?

— Je pouvais pas la laisser seule, marmonne Kaz en tenant la main flasque de Star.

L'engin ne reste que onze minutes dans les airs. Impressionné, Kaz regarde l'énorme plate-forme pétrolière qui se rapproche au large de la côte ouest de Saint-Luc. Tandis qu'ils descendent vers l'hélipont, il peut mieux évaluer à quel point la structure est vaste. C'est comme une ville entière soutenue par de gigantesques pilotis, à des centaines de mètres au-dessus de la mer des Caraïbes.

Une équipe médicale attend l'appareil sur la piste. Kaz se rue à la suite du groupe qui emporte la civière. Un ascenseur les emmène dans les entrailles de la plate-forme, où se trouve l'infirmerie.

Sur la porte à deux battants, il est écrit : THÉRAPIE DE RECOMPRESSION. Un technicien au visage sévère, en sarrau de laboratoire, leur coupe le passage.

— Elle ne peut pas venir ici. J'ai des plongeurs

sous-marins dans l'eau. Si jamais l'un d'eux a besoin...

Avant que l'homme puisse finir sa phrase, Bobby Kaczinski, le jeune défenseur le plus prometteur de l'Association de hockey mineur de l'Ontario, fait ce qu'il a été entraîné à faire toute sa vie. Sans ralentir, il incline l'épaule et applique une mise en échec. Le technicien s'étale par terre, de tout son long.

La chambre de décompression ressemble à un énorme tuyau d'acier de haute technologie qui aurait la taille d'une benne à ordures.

Kaz s'écarte pour laisser la place au personnel médical qui vient s'occuper de Star. Celle-ci est aussitôt branchée à divers moniteurs, ainsi qu'à une poche pour injection intraveineuse. On cesse de lui administrer de l'oxygène pour lui donner de l'adrénaline.

C'est pas vrai... c'est pas Star... c'est pas notre été...

La lourde porte se referme; des joints d'étanchéité en caoutchouc assourdissent le son du métal qui frappe le métal. La chambre hyperbare ramène la pression de Star et d'une infirmière à sept atmosphères – la même qu'à soixante-dix mètres. Selon l'ordinateur de plongée de la montre de Star, c'est la profondeur maximale qu'elle a atteinte lors de son aventure imprévue. Au cours des heures qui vont suivre, cette pression sera graduellement réduite pour donner à son corps une chance d'expulser l'azote qui l'empoisonne.

Mais est-ce qu'il est trop tard? Il a fallu une demi-heure pour l'emmener dans la chambre. Trente minutes pendant lesquelles des bulles meurtrières ont fait mousser son sang.

Il regarde le médecin en chef, mais le visage de l'homme ne donne aucun indice quant à la façon dont le traitement se déroule.

C'est ce qui arrive quand on viole les tombes de marins qui sont morts depuis trois cents ans.

D'abord le capitaine et maintenant, Star. C'est trop difficile à accepter.

Deux heures plus tard, quand Adriana et Dante se précipitent à l'infirmerie, l'expression du médecin n'a toujours pas changé.

— Elle va bien? demande Dante avec empressement. Est-ce qu'elle va bien?

Kaz secoue simplement la tête et leur fait signe de regarder par la fenêtre de la chambre. Leur amie est là, le visage blanc comme neige, toujours inconsciente.

La porte à deux battants s'ouvre toute grande pour faire place à Menasce Gérard, redoutable de colère et de chagrin.

— C'est vrai ce qu'on m'a dit? demande-t-il d'une voix retentissante. Le capitaine?

— Il est mort, confirme Adriana d'une voix enrouée. Star a essayé de le sauver et elle...

Le costaud guide de plongée se dirige vers la fenêtre de la chambre à grandes enjambées. Sa fureur diminue quand il aperçoit Star; il pose une main sur la vitre comme s'il essayait de projeter sa force sur toute la distance qui les sépare. Puis il pivote et regarde les trois autres.

— Alors... votre trésor, c'est ça? Vous êtes contents, maintenant? Vous vous sentez riches?

Ils ne peuvent ni répliquer, ni se défendre.

Ils ne peuvent qu'attendre.

2 septembre 1665

Avec ses voiles déployées, le Griffin *a une allure tout à fait majestueuse. C'est un trois-mâts, muni de vingt-quatre canons et construit à fleur d'eau, ce qui le différencie grandement des chevaux de labour de la flotte au trésor espagnole. Les galions sont massifs et leurs ponts, très hauts. Chargés de leur précieuse cargaison, ils s'enfoncent dans la mer, devenant ainsi des cibles faciles pour les bateaux plus rapides et maniables des grandes puissances navales de l'Angleterre, de la France et de la Hollande. Et, bien sûr, pour les pirates et les corsaires.*

C'est pourquoi le capitaine Blade ne se préoccupe pas outre mesure des quatre jours d'avance que les Espagnols ont sur la flotte de corsaires.

— On va les rattraper, on va y arriver! l'a entendu se vanter Samuel devant ses officiers.

Sous la torture, le maire de Portebello a révélé la route que la flotte va suivre pour retourner en Espagne. Elle ne s'arrêtera pas à la Havane, comme à l'habitude. Les galions vont plutôt virer au sud et passer à travers les célèbres hauts-fonds cachés.

Tandis que la flotte de corsaires navigue sur cette route, le capitaine Blade entoure son vaisseau d'hommes de vigie et place des douzaines de marins dans les gréements les plus hauts, pour scruter l'horizon à la recherche de voiles. Même quand les cieux se couvrent quatre jours plus tard et que la pluie se met à tomber, il ne leur permet pas d'abandonner leur poste.

Le lendemain, avec des vagues de six mètres s'écrasant par-dessus le beaupré, l'assistant-canonnier Blankenship est précipité en bas du mât d'artimon, lorsque le trois-mâts donne de la bande dans les eaux déchaînées.

Même York sent le besoin de supplier le capitaine de penser à la sécurité de l'équipage.

— Capitaine, quand la mer est dans cet état, les enfléchures sont point sûres pour les hommes comme pour les bêtes! On en a déjà perdu un!

— Et on va en perdre beaucoup plus, prédit Blade. C'est à ça que les ordures servent. Mieux vaut perdre quelques manœuvres que la flotte espagnole!

Samuel, qui est en train de laver la vaisselle du déjeuner du capitaine et qui titube sur le pont en mouvement, s'exclame :

— Mais capitaine...

York le fait taire en lui administrant une taloche sur la bouche.

Ça brûle, mais Samuel se rend compte que le barbier vient tout juste de lui faire une faveur. Parce que si l'homme avait donné une chance à Blade lui-même de le frapper, le capitaine se serait certainement servi de son fouet au manche en os.

— Capitaine, insiste York, qu'est-ce qu'une vigie peut voir par un temps pareil? Est-ce que vous connaissez la taille et la nature de la tempête?

— Oui, répond Blade. C'est une tempête monstre, qui s'étend à cent soixante kilomètres à la ronde, avec, au centre, un petit trou de beau ciel bleu. Et c'est ça, le plus beau.

Samuel ne peut pas se retenir.

— Le plus beau? Des tempêtes comme ça détruisent les bateaux, et tous les hommes meurent!

— Peut-être, reconnaît Blade. Mais si on est dedans, les Espagnols y sont aussi.

Il laisse échapper un rire diabolique.

— On va peut-être mourir, gamin. Mais si on vit, pardieu, on va être drôlement riches!